« vie et survie »

collection dirigée par Alain Saury

LE CRI DE LA TERRE

Le cri
de la Terre

AUTRES OUVRAGES DU MÊME AUTEUR

La Pratique de l'acupuncture (Éditions Doin, 1952, épuisé).

Traitement homéopathique des troubles du psychisme et du caractère (Éditions Doin, 1955, épuisé).

Le Procès des vaccinations obligatoires, en collaboration avec maître Eynard (1960, épuisé).

Profil d'une ontanalyse :

1. *Antipensée et monde des conflits* (Delachaux et Niestlé, 1969, épuisé).

2. *Frontières de l'homme* (Delachaux et Niestlé, 1967, épuisé).

De qui es-tu le fils ? (Éditions Les Bardes, Saint-Raphaël, 1972).

Comment vous vieillissez (Éditions Les Bardes, épuisé).

L'Incomplétude humaine, les Entretiens d'Yverdon en cinq cahiers polycopiés, 1974-1975 (Éditions Les Bardes, 1975, épuisé). Réédité en 1981 en un volume avec les cinq entretiens sur la *Partition de la vie.*

Immunologie et vaccinations (Éditions Les Bardes, 1972, épuisé).

Les Taste-morts, les vivisecteurs (Éditions Les Bardes, 1977).

Rencontres avec la détresse des animaux de corridas (Éditions Les Bardes, 1981).

Les Dames d'une autre histoire, archéologie préhistorique, en collaboration avec Hermine et Eric Kalmar (Éditions Les Bardes, 1976).

Les Ancêtres d'une autre histoire, archéologie préhistorique, en collaboration avec Hermine et Eric Kalmar (Éditions Les Bardes, 1981).

Tests d'irritabilité et de toxicité, étude comparative des procédures animales et non animales. Premier séminaire de réflexion et de concertation, Angers, avril 1982. Coordinateur : Dr J.-M. Kalmar.

Tests de mutagénicité et de cancérogénicité, procédures animales et non animales. Deuxième séminaire de réflexion et de concertation, Paris, 1983. Coordinateur : Dr J.-M. Kalmar.

Screening anatomopathologique, histomorphométrique et cytofluorométrique sur cellules en culture. Troisième séminaire de réflexion et de concertation, Grenoble, 1984. Coordinateur : Dr J.-M. Kalmar.

Les Maladies de l'incomplétude, profil d'une ontopsychosomatique (Éditions Les Bardes, 1984).

Dr Jacques M. Kalmar

Le cri de la Terre

Un chant d'espoir pour notre devenir

Fragments de lettres à Klaanah
recueillis par Jacques M. Kalmar

Photos Robert Callier

Éditions DANGLES
18, rue Lavoisier
45800 ST-JEAN-DE-BRAYE

L'AUTEUR :

Jacques M. Kalmar est médecin homéopathe et acupuncteur à Grenoble, depuis 1948. Deux années durant il a présidé la *Société rhodanienne d'homéopathie* et a participé à de nombreux congrès.

Outre l'exercice de la médecine, il s'est beaucoup préoccupé des problèmes pédagogiques, sociologiques et psychologiques.

Dans plusieurs ouvrages il s'est efforcé, non seulement d'analyser les aspects du marasme humain sur les plans matériel, psychique et spirituel, mais encore de déterminer comment le surmonter, la base essentielle de l'édifice étant une pédagogie totalement reconsidérée.

Depuis plusieurs années, il consacre ses loisirs à la protection de la nature et des animaux. Il dirige une association pour l'interdiction de la chasse, des corridas et de toutes les formes d'exploitation des animaux. Il a créé l'*Association scientifique française pour une recherche médicale sans cruauté* et est vice-président de la *Coalition mondiale pour l'abolition des expérimentations sur l'homme et sur les animaux*. Pour être cohérent avec ces actions et son combat, il est végétarien très strict.

Dans plusieurs publications, il a insisté sur le fait que la torture infligée à des êtres humains et celle qui est exercée sur des animaux est un seul et même problème, parce qu'elle exprime dans tous ses aspects un esprit pervers, mentalement décompensé. Les sévices pratiqués sur les animaux sont les témoins d'une carence affective grave (aussi bien que les destructions opérées contre la nature), dangereuses pour notre monde. Juguler ces pulsions plus ou moins sordides est un impératif catégorique de notre survie, estime-t-il.

ISBN : 2-7033-0294-0
ISSN : 0754-2526

© Éditions Dangles - Saint-Jean-de-Braye - 1986

100521

conclusion

Le cri de la Terre,
c'est aussi le cri d'un autre Peuple.

<u>Dessin leitmotiv de Ray Bret Koch :</u>

« *Et chacun viendrait boire dans le lit de nos mains, si l'Amour coulait de source depuis un cœur certain.* »

Alain Saury

Préface

Il est dit dans le présent ouvrage : « *Toute rencontre pourrait être une fête.* »

Cela en est une aujourd'hui de préfacer *le Cri de la Terre* du docteur Jacques M. Kalmar, alors que lui-même nous fit l'amitié de nous préfacer antérieurement déjà quatre fois...

L'estime que nous lui portons est le fruit de quinze ans de complicité dans l'esprit et dans les actes, afin d'assumer la perpétuité de la pensée franciscaine qui fait que chacun d'entre nous n'est venu que pour servir et non asservir, notre seule liberté étant de respecter la Loi que Confucius définit ainsi :

« *L'ordre établi par le ciel s'appelle nature ; ce qui est conforme à la nature s'appelle loi ; l'établissement de la loi s'appelle instruction. La loi ne peut varier de l'épaisseur d'un cheveu ; si elle pouvait varier, ce ne serait point une loi.* »

Enfreindre la Loi, c'est rompre l'équilibre entre le Ciel et la Terre qui cessent leur épanouissement et, nous, le nôtre...

L'ouvrage de Jacques M. Kalmar est un livre extrêmement pratique dans la mesure où il incite le lecteur à retrouver cette instruction, à retrouver son âme ou à ne plus la quitter... avant qu'il soit trop tard. Et il semble vraiment que Dieu ait frappé de folie ce que l'on a coutume d'appeler la sagesse des hommes : « *Dieu connaît les pensées des sages, Il sait qu'elles sont vaines.* »

Retrouvons cette folie de Dieu qui nous fera toujours passer pour tels aux yeux de la plupart, cette folie qui passe toujours par l'image christique : l'Amour.

Merci Jacques, de nous restituer dans l'esprit et « la lettre » ce « *tout ce qui n'est pas sublime est coupable* », ce tout où rien n'est plus cueilli mais accueilli.

Alain Saury
1986

Présentation

Il y a environ un an, j'ai reçu un paquet par la poste contenant un manuscrit. En fait, il s'agissait d'un ensemble de lettres adressées à une certaine Klaanah.

L'auteur semblait avoir été envoyé en mission du Pays de l'Avers, apparemment étranger à la Terre, vers notre monde qu'il appelle le Pays de l'Envers.

J'ai sélectionné des fragments de ces lettres qui m'ont paru présenter une portée générale par l'appréciation qu'ils renfermaient de nos modes d'existence et de nos relations entre nous et avec notre environnement.

L'auteur de ces lettres à Klaanah m'a semblé très impressionné par notre acharnement à tout détruire, en nous et autour de nous. Son attachement à analyser les conditions de notre survie, en majeure partie liée à une prise de conscience cosmique, mérite, je crois, d'être considéré avec attention. Puisque, en définitive, notre potentiel de survie doit être au foyer même de nos préoccupations, j'ai pensé qu'il serait bien d'envoyer ces fragments de lettres à Klaanah à mon ami Alain Saury.

Jacques M. Kalmar
(1986)

« ... Il peut y avoir de la terre sans rien... des marais sans joncs et sans libellules, des plateaux sans chênes et sans écureuils, des montagnes sans cèdres et sans aigles ; mais il ne saurait y avoir de joncs, de libellules, de cèdres et d'écureuils ; de chênes et d'aigles sans des marais, des plateaux et des montagnes... Il ne saurait y avoir de vie sans la Terre ! »

Albert Einstein (1879-1955).

Lettre n° 1

Je suis venu...

Je suis venu dans le Pays de l'Envers où j'ai été envoyé.
J'ai marché et j'ai regardé.
J'ai marché plus loin et j'ai regardé partout.
Alors j'ai vu que la Terre était à genoux. Comme un grand corps qui se vide de ses forces, mais qui reste, un moment encore, le buste droit avant de s'effondrer.
Oui, j'ai vu que le Pays de l'Envers, blessé de toutes parts et de mille manières, était à genoux.
J'ai été envoyé ici, mais que puis-je faire de toute cette détresse ?

*
* *

Lettre n° 2

Le temps est toujours mesuré

Dans le Pays de l'Envers, le temps est toujours mesuré.
Aujourd'hui, j'ai vu un animal qui venait de naître. Il était couché sur le sol. Sa mère, auprès de lui, le léchait.
La harde, debout, les entourait et attendait.
Le nouveau-né ne disposait que d'une quinzaine de minutes pour se tenir debout et marcher. Après quoi, la harde poursuivrait son errance pour assurer sa sécurité.
Je constate qu'ici la peur est partout présente. Peut-être un jour pourrai-je t'expliquer ce qu'est la peur, si je la comprends moi-même.
Le petit animal disposait du quart d'une heure pour accueillir la vie, la saisir, être accueilli par elle et partir avec elle, vers les horizons de son existence.

Malhabile, il essayait de se dresser et il retombait : deux fois...
cinq fois... dix fois...

La harde, silencieuse, attendait, immobile.

C'est en de tels moments, m'a-t-il semblé, à ras des événements qui jaillissent à égale distance de la vie et de la mort, que se
font entendre, dans le Pays de l'Envers, les répons les plus solennels.

Les minutes passaient... L'animal allait-il être abandonné ? Sa
mère était auprès de lui, la harde le protégeait, èt pourtant, en
regardant ce petit être, je voyais apparaître le visage de la solitude.

*
*   *

Lettre n° 3

Les gouttelettes de vie

Dans chacune de ses mains, la Terre tient une gouttelette de
vie, source inépuisable d'autres gouttelettes de vie qui tournoient au
gré des vents, des courants, se posant ici, s'envolant là, pour se
poser ailleurs, s'étirant ou se ramassant, s'enroulant et se déroulant
en spirale, se tordant et se convulsionnant, comme sous l'emprise
des douleurs de l'enfantement de tout ce qui couvre la Terre.

Mais que fait ce Peuple ? Je le regarde qui tord les mains de la
Terre, pulvérisant les gouttelettes de vie les unes après les autres.

Que restera-t-il de lui lorsque les mains de la Terre seront
vides ?

Lettre n° 4

La vie omniprésente

Cette planète est une demeure de la vie.
Qui, ici, refuse à la vie le droit d'asile ?
La vie est partout, jusque sur les banquises et dans les déserts, jusqu'au plus profond des mers.
Rien ne lui refuse le droit d'asile, rien, sauf ce Peuple.

J'ai vu une abeille se poser sur une fleur jaune. La brise, qui passait au sommet des arbres, se pencha vers eux, les caressa un instant et poursuivit son chemin.
J'ai vu une petite fille qui me regardait de ses grands yeux bleus où se reflétaient les interrogations les plus lointaines et les plus somptueuses.
J'ai vu les blés qui ondulaient gravement, au rythme d'une musique apportée par les sources et les mystères de la Terre.
J'ai vu un oiseau qui se posait ici, sautillait là, traçant ses points de suspension, de graine en graine.
J'ai vu le sourire d'une fleur minuscule, à l'abri entre deux touffes d'herbe.
J'ai vu les arbres d'une forêt, engagés dans un long discours.
J'ai vu le regard d'un chien pour son maître, j'ai alors compris combien c'est un privilège inestimable d'être le témoin d'un embrasement aussi prodigieux dans la beauté, d'une fête aussi éblouissante dans cette résidence de la vie qu'est la Terre.

Pourquoi ce Peuple ne comprend-il pas cela ?

*
* *

Lettre n° 5

La vie assassinée

La petite boule bleutée, vaillamment, suivait son chemin.

La petite boule perdue dans le décor des années-lumières, et dans l'immensité d'un destin énigmatique, traçait son sillon dans le limon des espaces et du silence.

Cette boule, je l'ai aperçue alors qu'elle n'était encore qu'un point. Alors que j'avais croisé tant de planètes hostiles, inabordables, au visage malsain ou malveillant, celle-ci, au fur et à mesure que je m'en approchais, apparaissait accueillante.

Il est vrai que la vie est répandue partout dans l'univers, mais combien parcimonieusement ! Elle s'inscrit en un pointillé de couleurs égaré dans une multitude de planètes obscures, muettes et abandonnées. Pourquoi la vie a-t-elle pu s'installer en tel lieu et non ailleurs ? Pourquoi la vie éclate-t-elle ici en une gerbe de teintes, de formes innombrables, et là est-elle absente ou misérable ? Pourquoi plonge-t-elle des racines assez profondes et se maintient-elle sur cette planète, dans l'épanouissement de sa magnitude, et s'étiole-t-elle sur une autre pour finalement disparaître, laissant un sol déchiqueté, lézardé, comme un grand corps déserté ?

Ce Peuple sait que la vie, dans son système solaire, est mesurée, limitée à sa propre planète. Cela, il le sait. Si la vie existe ailleurs, il le suppose, mais il ne le sait pas.

Il a vu que la Terre représentait une once de vie qui gravitait dans un océan de solitude. Il l'a vue. Il le sait. Et que fait-il ?

Sans doute penses-tu, Klaanah, qu'il est émerveillé, qu'il n'a de cesse de chanter sa joie d'avoir reçu un tel présent : d'être ici, au point de rencontre de tant de conditions et d'exigences, pour que la vie — et lui donc — puisse exister et durer ?

En équilibre instable sur cette boule minuscule, emporté dans le tourbillon des soleils, parmi des étoiles mourantes et des nébuleuses en rut, couché sur le ventre de sa mère, la Terre, Klaanah, que penses-tu que fait ce Peuple ?

Combien aérée doit être l'âme de cet être si léger !

Il arrache la vie, telle une tenture usée, il laisse apparaître les étendues grises et sales des terres mortes. Il griffe la face de la Terre et dépose des traînées de poisons dans toutes ses rides. Il pousse devant lui, droit vers tous les horizons, les engins de la désolation, creusant de larges tranchées de sang là où se dressaient des forêts. Il piétine et déchire le Grand Livre de la Création, laissant dans le sillage de son inconscience, un paysage de stérilité qui épouse la forme des continents.

Vraiment, n'est-il pas surprenant d'être ainsi accroché sur la paroi abrupte de la vie, et de la frapper, de la fragmenter, de la disloquer, regardant les morceaux tomber pour s'écrouler à son tour, au foyer de sa déraison ?

Tant de chance et de privilège de naître sur une telle planète ! Et installer, jour après jour, sur toute la Terre, un damier où alternent les plages sombres où gisent les choses mortes, et les aires encore claires de ce qui demain sera brisé, blessé, assassiné.

Tant de chance, mais pourquoi autant de malchance que ce Peuple soit resté insensible à la solidarité qui le lie à tout ce qu'il détruit ?

*
* *

Lettre n° 6

L'édification des murailles

Voilà ce que j'ai lu dans une flaque de sang.

Le vent était tombé subitement.

Les oiseaux s'étaient tus. Les moutons, serrés les uns contre les autres, étaient figés, minéralisés. Ils regardaient l'homme assassiné qui gisait sur la terre, le visage ensanglanté. L'autre, penché sur lui, hébété, le touchait en tremblant.

Un assassinat, dans ce monde de l'Envers, c'est apparemment banal. Mais, à cette époque, ce ne l'était pas. D'autant plus que c'était le premier.

Abel allait avec ses moutons de colline en colline, à la rencontre d'horizons qui ne savaient rien de l'homme. Chaque jour il marchait, émerveillé, à la découverte de nouveaux paysages.

Il se tenait debout, lorsque l'aurore s'annonçait, dans les débris épars de la nuit en déroute. Il conduisait ses moutons dans le sens de l'avenue tracée par le soleil, jusqu'à la fin du jour. Alors, fatigué, il regardait l'étincelle de lumière disparaître, là-bas, dans un abîme flamboyant.

Il s'asseyait et observait, avec un recueillement inquiet, les nappes de la nuit qui enveloppaient la Terre, silencieusement, méthodiquement. Il conservait, comme une relique précieuse, la poignée de joie accumulée au cours des heures passées. La plongée de la boule de feu, dans le ventre de sa Mère, ne pouvait effacer dans les yeux d'Abel le souvenir des choses reconnues ou encore jamais vues.

Et il s'endormait, confiant, dans la promesse que son compagnon du matin naissant l'éveillerait pour un nouveau jour éblouissant.

La lune avant le jour des offrandes, Abel arrivait avec sa femme, ses enfants, son troupeau. Il s'installait et il regardait son frère Caïn qui s'éreintait.

La femme de Caïn, décharnée, ne se redressait même pas, car son époux la frappait lorsqu'elle prenait un instant de repos pendant le temps du labeur.

— J'ai barré les chemins ! hurla Caïn.

— Pourquoi as-tu fait cela ?

— Parce que cette terre est ma terre ! Tu ne dois pas entrer ici.

Caïn se baissa, ramassa une grosse pierre et, de tous ses muscles tendus, la lança sur Abel. Elle le frappa avec un bruit d'éclatement.

La femme d'Abel et ses enfants le transportèrent dans une grotte, et ensuite allèrent dormir. Dès la fin de la nuit, poussant devant eux le troupeau, ils suivirent la piste pour annoncer la nouvelle à toutes les fleurs et aux oiseaux des collines.

Caïn et sa femme reprirent leur tâche avec leur habituel acharnement, car ce jour était venu comme les autres jours.

De lointain en lointain, les enfants de Caïn essaimèrent, s'installèrent et s'enfermèrent dans un réseau de forteresses, de remparts, de frontières naturelles et idéelles.

Partout la mesure fut la même. Certains des enfants de Caïn décidèrent qu'ils devaient être respectés, soit qu'ils fussent plus forts ou plus malins ou, qu'ayant l'ouïe plus fine, ils aient pu entendre les divinités le leur suggérer.

Ils traquèrent les enfants d'Abel et les enfermèrent dans les murailles de la première Babylone. Depuis, l'étendard de la Citadelle flotte et impose sa loi sur le sol maudit du Pays de l'Envers.

*
* *

Lettre n° 7

Paysage d'un autre Temps

Je regarde le paysage d'un autre Temps.

Combien, parmi le peuple de l'Envers, le voient-ils ?

Chacun, ici, comme l'animal nouveau-né dont je t'ai parlé un jour, doit se lever pour saisir son destin à l'instant opportun.

Je suis assis au bord du fleuve et je contemple ce monde qui s'écroule. Il y a des rivages qu'il faut savoir quitter, ces rivages dont le langage est usé et que la vie s'apprête à délaisser.

Pourquoi ce Peuple qui est là, autour de moi, en face de cette aurore d'un nouveau Jour, n'entend-il pas ses appels, dont il devra pourtant apprendre le vocabulaire ?

Mais il s'accroche éperdument après ses idées fanées, ses opinions surannées, ses coutumes désuètes ou absurdes. C'est avec ces débris — qui devraient être enterrés depuis longtemps — qu'il prétend vouloir construire le monde de demain.

Est-il si difficile d'être transparent, pour être à l'unisson des nouveaux lendemains et être présent lors de l'enfantement des pensées d'un autre Temps ?

Lettre n° 8

Le naufrage imminent

Depuis plus de deux mille ans, le bateau erre sur la Mer des Poissons.

Disloqué, fissuré, vermoulu, rouillé, sa mâture brisée, ses voiles en loques, ce qu'il en reste dérive et s'enfonce doucement, là, juste devant moi.

Des épaves flottent un peu partout, reliquats des croyances, lambeaux de conventions arbitraires et de valeurs factices, grâce auxquelles ce Peuple a cru trouver la sécurité et la grandeur.

Le navire, battant pavillon du Père, est arrivé sur les lieux de son naufrage. Depuis que la ronde des constellations marque l'heure sur le cadran de l'éternité, l'annonce de ce naufrage a été inscrite en ce lieu et à cette époque. Mais combien le savent ?

Le navire sombre dans les eaux zodiacales. Combien s'en aperçoivent ?

Je vois le Peuple agglutiné sur le pont. Il s'agite, divague, empêtré dans ses conflits dérisoires, dans ses projets sans consistance, dans ses espérances sans fondements.

Il croit être encore en mesure de décider, comme s'il était le maître d'un destin dont l'équation est enfermée dans les rouages secrets de la mécanique universelle.

Tant de rumeurs qui couvrent le silence grandiose des causes premières !

*
* *

Lettre n° 9

La muraille enracinée

Je suis allé de par la Terre et j'ai vu, c'est vrai, la muraille enracinée.

J'ai pensé, qu'en effet, cette planète, devenue cellule, ne proposait aucune issue, aucune porte, aucune ouverture vers un monde qui, dévêtu de sa réalité, est devenu rêve, fantasme, illusion, utopie. Une idée pitoyable de fou, pour tout dire.

Le bateau qui croyait avoir navigué librement et fièrement sur la Mer des Poissons, se serait-il, en fait, embourbé dans une mare sans rivage ?

Pourquoi m'avoir envoyé ici si je ne puis rencontrer que ces êtres et ces choses enchaînés ?

Mais quelle est cette mélodie qui, d'horizon en horizon, butine les fleurs du printemps ? Quels sont ces accords légers et solennels, clairs et graves, qui montent comme des bulles du fond de la lucidité ?

Ne serait-ce pas le chant du fifre qui s'élève droit de la hune, là-bas, sur le grand navire qui attend ?

*

*   *

Lettre n° 10

Le cri de la naissance du monde

N'entendez-vous pas le cri de la naissance du monde ?

La voix, immense, enveloppait le Peuple silencieux, massé devant un arbre, au sommet duquel flottait un nuage noir, circulaire.

La voix semblait venir du nuage ou de l'arbre.

« N'entendez-vous pas le cri de la naissance du monde ?

« Dans un vallon de l'espace, un jour, une planète a germé. En un point de cette planète, longtemps après, une goutte d'eau s'est formée. Ce fut un autre jour.

« Puis, dans une goutte d'eau identique à la première, le cri de la vie a jailli. Ce fut encore un autre jour. »

La voix poursuivit :

« Regardez le fond du regard des êtres et des choses, de tout ce qui vit, et vous verrez la petite goutte d'eau de l'origine qui tremble encore, au rythme du cri de la naissance de la vie.

« Ce cri est inscrit dans les racines de la Terre et des étoiles. Il résonne depuis les particules de l'atome jusqu'aux nébuleuses les plus lointaines. Accord plaqué sur la course du temps, présent dans tout ce qui vit, ici et partout, maintenant et toujours. »

La voix se tut un long moment. Le Peuple restait figé, en attente, la tête penchée en avant. Mais écoutait-il vraiment ?

Et la voix reprit, profonde et calme :

« Écouter le cri de la naissance du monde, c'est comprendre le pourquoi de la vie, chanter avec lui ; c'est s'accorder avec les poussées essentielles de l'être — de n'importe quel être — vers son épanouissement et son accomplissement. Le ver de terre, lui aussi, comme tout ce qui existe, accomplit sa Grande Traversée.

« Mais, combien savent entendre le cri de l'existence, le cri des cellules dans son propre corps, le cri du bourgeon qui s'ouvre, de celui, de celle, qui suit son chemin ; du nuage qui passe, de l'arbre qui dialogue avec l'espace et le temps ; de la mère qui tient son enfant dans ses bras ; le cri qui fuse depuis la source des êtres et des choses — des choses qui sont aussi des êtres ; le cri qui s'élève de toutes les couleurs éparpillées sur la Terre ?

« Que reste-t-il de cette symphonie jamais achevée et combien d'entre vous sont disposés à écouter ses thèmes éternels ? »

Lettre n° 11

Flux et reflux

Là-bas, à l'horizon, un autre navire apparaît...

Le jour naît dans le ventre de la nuit. L'œil de la nuit s'entrouvre au foyer de la lumière du jour. Le flux est en gestation dans le reflux. Cependant que la Mer des Poissons amorce son retrait vers les rivages de l'oubli, la Mer du Verseau avance et aborde les côtes du Pays de l'Envers.

Eaux déjà noires de l'océan qui se retire dans la tombe où gisent les cycles éteints de l'histoire cosmique. Eaux encore grises de l'océan qui émerge lentement de la matrice des mondes.

Le vieux navire sombre, ici, et le Peuple ne le sait pas.

Au loin, un vaisseau neuf glisse sur les eaux de l'océan d'un autre Temps, mais le Peuple ne le voit pas.

*

* *

Lettre n° 12

Les épousailles de chacun avec l'autre

Accueillir la vie, c'est célébrer les épousailles de chacun avec l'autre.

Mais l'autre ne doit-il pas être l'homme, la femme, l'enfant qui regardent une fleur sur le talus d'un sentier, la pierre qui est auprès de la fleur et l'oiseau qui se pose sur la pierre ?

L'autre ne devrait-il pas être tout ce qui existe, si ce qui existe est issu du même cri de l'origine, si tout ce qui existe est une seule et grande famille ?

*

* *

Qui oserait établir sa demeure si haut, si loin… sinon la vie ?

Lettre n° 13

Qui fertilisera l'avenir ?

La Terre le demande : « Qui fertilisera les nouveaux territoires ?

« Qui prendra la vie par la main pour la sortir de son dénuement ?

« Qui la dépouillera de ses haillons pour la revêtir des habits somptueux de l'aurore d'un monde en puissance d'être ?

« Qui, sinon tous ceux, hommes et femmes, qui perçoivent en eux les mouvements de ce monde en gestation ?

« Qui, sinon tous ceux qui ont installé sur le chevalet, la toile pour y peindre, tous ensemble, les couleurs et les volumes des jours à venir ?

« Qui le pourrait, sinon les fils et filles, filles et fils de la Terre, tous unis dans les trouvailles du sacré, dans les dimensions de sa simplicité et de sa nudité ?

« Tous, filles et fils, fils et filles de la Terre, qui tiendront le soc, enfouiront la normalité ambiante et prépareront les semis du naturel, inscrit dans l'équation de leur lucidité retrouvée ?

« La gestation du monde du Verseau arrive à son terme. Des étendues vierges se déroulent vers tous les horizons, dans l'attente de nouveaux modèles. Sous la poussée des improvisations, tous les déchets d'un monde égaré seront balayés : la cruauté, la férocité, les misères, la soumission des uns, la domination des autres.

« Je vois, j'entends des hommes qui se moquent, qui parlent d'utopie, de rêve, d'imagination naïve, ignorants qu'ils sont que la réalité, à leur image, se confond avec l'absurdité et la déraison.

« Je les vois, je les entends ces pauvres gens. Mais je vois aussi, là-bas, les grandes marées qui avancent pour un retournement des marginalités.

« Au temps du Père, ceux qui étaient séquestrés dans l'étroite cellule de leur cerveau étaient, et sont encore, entendus et reçus, parce que soumis à l'ordre établi. Étaient et sont encore des marginaux les fils et les filles de la Terre dont les yeux savent regarder au-delà des remparts de la Citadelle.

« Mais qui sont les marginaux, sinon ceux qui s'empêtrent dans leur système, dans leurs machines et leurs machinations ? Qui peuvent être dans le réel, sinon ceux qui veulent jouer avec les choses et les êtres pour que la symphonie pastorale soit une compagne des jours ?

« C'est avec eux et par eux que la survie deviendra une certitude. »

*
* *

Lettre n° 14

L'injuste châtiment

La Terre s'est assise à côté de moi et m'a parlé de ses problèmes.

Depuis des heures je suivais un chemin qui semblait s'ennuyer et tournait en rond dans la montagne.

Soudain, je m'arrêtai en face d'une ouverture creusée dans la roche. J'y pénétrai et me trouvai dans une petite grotte, ouverte droit vers le Levant.

C'est alors que la Terre vint s'asseoir à mes côtés. Je la regardai et vis qu'elle était soucieuse. Nous restâmes silencieux un long moment. Puis elle me dit :

« Mon ami, tu dois être surpris par tout ce que tu vois autour de toi. Tous ces êtres qui s'entre-dévorent, qui ne survivent qu'en se nourrissant de celui qui passe, dans une chaîne de destructions qui n'a pas de fin et que l'on dit naturelle.

« C'est vrai qu'elle est naturelle, puisque telle est la loi, ici. Mais que penseras-tu de moi, qui suis la nature, pourtant, si je te dis que je ne comprends rien au pourquoi de ces choses étranges ?

« Le meurtre jaillit de tous les pores de ma peau. Chacun de tes pas foulera un lieu où un être a trouvé la mort.

« En fait, je souffre d'un certain mode d'exister, que je ne puis modifier et que je n'admets pas. La vie se nourrit de la vie, dans un grand fracas de mâchoires, d'os brisés et de bouillies d'organes.

« Où que tu ailles, en quelque endroit que tu puisses toucher mon corps, tu trouveras les restes de ceux qui ont été digérés.

« Alors, je suis comme toi, je me pose la question : qui a voulu cela ?

« Des multitudes de formes de vie sont imaginables. Pourquoi dois-je être le dépotoir des formes d'existence les plus affligeantes, les plus écœurantes qui soient ?

« On m'a dit que tous ceux que je porte ont une faute à expier ! Mais, les planètes seraient-elles comme les individus ? Ai-je, moi aussi, un châtiment à supporter ? »

*
*   *

Lettre n° 15

La lumière n'est pas loin

Pour qui ces lampes brillent-elles ? Dans ce Pays emballé, aveuglé par sa violence, emporté sur la crête des vagues de ses délires, dans cette longue nuit qu'est devenue l'existence de ce Peuple, n'est-il pas réconfortant qu'il y ait quelques petites lampes qui veillent ?

Elles s'efforcent de rester droites, bien que poussées par le souffle des incohérences et des ignorances. Elles vacillent parfois, jusqu'à presque s'éteindre, mais elles se redressent toujours, soutenues par une force venue du plus profond de l'être et de tout ce qui vit.

Souvent méprisées, parfois humiliées, raillées et pourtant toujours présentes, elles restent ce que l'on appelle la conscience du monde, la volonté de celles et de ceux qui, tout au long des siècles et des millénaires, ont voulu introduire la sagesse et remplacer la violence par la compassion. Mais comme tout cela est difficile !

Elles sont bien seules, ces petites lampes, dans ce curieux monde ! Repères fragiles, semblables à ceux qui sont plantés dans le désert. Les caravanes les respectent parce qu'ils montrent les chemins de la vie, là où attendent les points d'eau. Mais ces lampes voudraient faire reculer les ténèbres, et les foules passent à côté d'elles sans les voir, ou n'entendent rien de leur appel.

Il y a un temps pour la nuit, un temps pour le jour. Pourquoi s'énerver et se décourager si l'obscurité de l'Age de Fer a envahi la Terre ? La lumière n'est pas loin, et lorsque son heure sera venue, peu importe les fous qui ne la verront pas.

*
* *

L'enfant hurlait dans la nuit. Cerné par les éclairs syncopés des obus qui éclataient, l'enfant hurlait dans la nuit.

*
* *

Lettre n° 16

La vaillance de la vie

Comment ne pas être émerveillé par la vaillance de la vie ?

J'ai un petit copain que je vois chaque jour depuis l'automne dernier. C'est un arbuste, planté dans une faille de rocher, à peine dans deux doigts de terre.

Cette opiniâtreté à survivre dans des conditions aussi précaires n'est-elle pas étonnante ? Aussi me suis-je penché vers lui, et c'est ainsi que nous sommes devenus des amis.

Un jour de l'automne, il m'avait inquiété. Ses feuilles avaient normalement jauni mais étaient tombées subitement. En général cela se produit plus lentement. Cette brusquerie m'avait paru inhabituelle et j'avais cru que mon ami était mort.

Et puis, quelque temps plus tard, j'ai vu que de minuscules bourgeons apparaissaient dans ses branches, prêts à répondre à l'invitation du prochain printemps. Klaanah, ce fut pour moi un moment de joie triomphante.

L'hiver arriva. Il fut très rigoureux : froid, grands froids, bourrasques de neige, grêle, pluies glaciales, vents en tempête. Mon pauvre ami, tour à tour couvert de neige, dégoulinant d'eau, violemment secoué par le vent, jamais en repos, demeurait néanmoins debout sur sa poignée de terre.

Un matin, gris et triste, alors que les nuages couraient très bas, répandant une pluie froide, inondante, j'allai le saluer. Il était bien là, mais ce que je vis me coupa la respiration. Sur chacun de ses bourgeons, une toute petite touche de vert s'était posée.

Pour la plupart des gens, je le sais, il n'y a là rien que de très naturel. Je le sais, mon émotion leur paraîtra ridicule. Et alors ? Oui, j'ai été ému en présence de cette volonté de la vie à suivre vaillamment son chemin lumineux dans les brumes et le fracas des adversités.

Oui, j'ai été ému d'observer, jour après jour, en ce début de printemps maussade, bourru et peu coopérant, les bourgeons qui verdissaient et s'affirmaient, disposés à laisser les feuilles s'ouvrir au monde comme les coquilles qui se brisent et laissent les poussins prendre leur premier bain de lumière.

Tout cela, c'est banal, paraît-il.

Comment le merveilleux pourrait-il être banal ? Comment une telle vaillance, présente partout sur la Terre, même sur les banquises, dans les déserts, dans la nuit des fonds des mers, comment une telle obstination pour survivre pourrait-elle être banale ?

Je regarde et j'écoute mon petit copain, qui frissonne dans l'air frais de ce jour sans soleil et, dans son silence, quelle éloquence !

Lettre n° 17

Le Temps de la soumission

Sur le pont du navire, il y a une croix.

Au centre de la croix, point de rencontre des lignes venues des quatre horizons du Pays de l'Envers, il y a le Père. Dans la main du Père, il y a l'homme. L'homme debout, armé, dominateur.

Sur ce bateau qui dérive et tourne en rond, au gré des courants et des tempêtes, sur la Mer des Poissons, tout a été en place, sur l'éventail des siècles, pour illuminer l'Envers avec les éclairs syncopés de la haine et de la sottise déchaînées.

Le Temps du Père a été celui de la soumission, de l'allégeance, de l'assistance, de l'espérance, des divinités tutélaires, complices de la démission du Peuple.

*
*   *

Lettre n° 18

La symphonie oubliée

Combien sont-ils ceux qui connaissent encore les chants de la vie ? Les peuples du Temps des Esprits avaient su accueillir la vie à leur manière. Ils avaient peuplé les forêts, les sources, les nuages, les chemins, de divinités avec lesquelles ils dialoguaient.

Dès qu'il a commencé à naviguer, le bateau du Temps du Père s'est éloigné de la vie. Il a vidé les forêts, les sources, les nuages de tous ses habitants célestes. En s'installant dans une existence artificiellement composée, à l'intérieur des remparts de sa Citadelle, hors des fresques dessinées par la vie, le Peuple a délibérément rompu avec sa Loi.

En improvisant les variations de ses chants de guerre, en situant la Terre au centre du monde et en se hissant au sommet de la pyramide des créations, ce Peuple a cessé de tenir sa place dans la participation cosmique.

Aujourd'hui, Klaanah, j'ai lu l'histoire d'un homme, que l'on prétend simplet, et qui remarquait mélancoliquement : « J'ai toujours été un pauvre homme, je ne connais pas une seule chanson ! » Le Peuple du Temps du Père est composé en grande partie de pauvres hommes, de pauvres femmes, car ils ne savent plus rien des chansons de la vie...

*
*   *

Lettre n° 19

La vie acculée sur le lieu de son exécution

Pourquoi ce Peuple a-t-il exproprié la vie ?

Hier, je suis allé sur le navire qui avance lentement sur la constellation du Verseau. Lui aussi porte une croix.

Au centre de cette croix, je n'ai vu que la vie, frémissante et jaillissante.

J'ai appris qu'il y a bien longtemps, avant que les cités n'apparaissent sur l'Envers, le fleuve de la vie coulait, majestueux, inépuisable. Il traversait les saisons depuis des millions d'années, déposant le limon de ses couleurs et de ses formes sur le visage de ses créations innombrables.

Le fleuve coulait, puissant, préoccupé de se rendre d'une extrémité à l'autre d'un mystère.

Le fleuve était partout, épousant les continents, les océans et les nuages. Puis, le Peuple arriva. Il cerna le fleuve et le fit reculer, le canalisa, le réduisant peu à peu à sa merci.

Le rêve de ce Peuple : un fouet à la main, transformer le fleuve en un filet de vie coulant à ses pieds, qu'il frapperait pour se convaincre qu'il est le maître de tout.

L'infiniment grand,
l'infiniment petit,
l'infini de l'être,
se rencontrent, s'enlacent
et enfantent la beauté.

Sur le bateau qui sombre dans la nuit tombante, avec le signe du Père au centre de la croix, la vie a été expulsée, expropriée, d'abord de certains lieux, jusqu'à le devenir de presque tous les lieux du Pays de l'Envers.

Lorsqu'il aura brisé l'échine de la vie, que restera-t-il de ce Peuple ?

Toi, Klaanah, au Pays de l'Avers, tu ne comprendras sans doute rien des choses que j'écris. Tout cela est étranger à notre langage, à notre pensée.

Mais j'ai été envoyé ici pour observer. J'observe donc, et ce que je vois et ressens, je l'écris.

Lettre n° 20

Les rustres n'effaceront pas la beauté

Je regarde le sourire ridé et las de cette planète désabusée. Je me suis penché vers elle et je l'ai écoutée. C'était un murmure lent et triste, une plainte qui voulait rester discrète.

J'ai observé son regard et j'y ai vu, tout au fond, dans les brumes du couchant, les voiles qui se levaient et gonflaient pour une ultime traversée des espaces dévastés.

Mais est-il possible que tant de beauté puisse s'effacer d'un visage, simplement parce que ce Peuple a oublié ce qu'était la tendresse ?

Lettre n° 21

Tout être, toute chose est solennité

Qui possède la souveraineté dans le Pays de l'Envers ?

Je me le demande et, sans doute, Klaanah, ne comprendras-tu pas comment on peut se poser une telle question ! Car si tout est solidaire de tout, si l'agression de l'un des composants fait chanceler le trône de la vie dans sa totalité, lequel de ces composants pourra-t-il affirmer détenir la souveraineté sans mettre l'ensemble en péril ? Où ce Peuple a-t-il exhumé l'idée de sa souveraineté sur la Terre ?

Cette nuit, j'ai dormi sous un saule, dans un vallon. On le dit pleureur alors qu'il est dans la position du méditant. Lorsque je me suis réveillé, il regardait couler l'eau du vallon, lisant sans doute dans les tourbillons du courant le Livre de la Terre.

Par ce Livre, j'ai appris qu'au Temps des Esprits nul ne prétendait détenir la souveraineté. Chacun participait aux jeux de la vie, chacun à sa place, selon la mission qui lui avait été assignée. Tout, sur la Terre et dans le ciel, avait une identique importance : le vol de l'oiseau, la trajectoire de l'étoile, la respiration de l'arbre, les pas de l'homme, le sourire d'une tendresse, la course de la lune dans la nuit froide avaient pour origine une même aurore cosmique.

Le Livre était ouvert devant moi et je voyais, écrit de page en page, l'énoncé non de la souveraineté, mais de la solennité ; les images de la grandeur de la vie, telle qu'elle s'inscrit dans les dimensions de l'univers.

*
* *

Lettre n° 22

Toute chose, tout être est une mesure du monde

La mesure de ce Peuple est celle d'un divorce.

Quels horizons regarde ce Peuple ? Ceux du monde ou ceux de son propre monde ?

Dans quelles dimensions s'agite ce Peuple ? Dans celles de la vie ou dans celles de sa Citadelle ?

Ce matin, un oiseau venu d'un pays lointain s'est posé près de moi. Il est resté un long moment immobile, les yeux clos. Puis il m'a regardé.

« Tu es le premier que je rencontre et à qui je peux m'adresser. Du haut de mon vol, je regarde les dessins de l'existence exposés dans toutes ces cités. Je ne vois, partout où je passe, que des gens affolés. J'entends le bruit de leurs disputes, la rumeur de leurs peurs et de leurs sanglots.

« Il est surprenant que ces gens et moi vivions dans deux mondes aussi étrangers l'un pour l'autre. Ne sommes-nous pas sur la même planète ? Je trace mes arabesques dans le silence du ciel et personne ne lève les yeux pour me regarder, me saluer, m'encourager. Ces gens, en bas, et moi ici, nous nous ignorons. Et, lorsque quittant le vacarme des cités je survole les campagnes, seuls lèvent leur regard ceux qui cherchent à me fusiller.

« Au fond, que suis-je pour ces gens si affairés et si importants ? Une chose, un être vivant ? Rien du tout ou sans doute pas grand-chose ? Qui me répondra ?

« Que sont pour ce Peuple cet arbre, ce merle sur cette branche, cette fleur dans l'herbe et ce brin d'herbe ? Une chose, peu de chose, ou un être qui porte la vie avec lui, en lui ?

« Qui me répondra si l'on a enseigné à ce Peuple que lui seul est le fils de Dieu ? Mais alors, ce brin d'herbe, cette fleur, moi, à l'image de qui, de quoi, avons-nous été créés ?

« Est-il vrai que ce Peuple soit l'unique et vraie mesure du monde ? Dans ces conditions, le reste du monde, qu'est-il ? Je le demande… »

Puis, l'oiseau s'est envolé…

Lettre n° 23

Les tentacules de l'histoire

Le ciel était inerte et glauque, aussi pétrifié qu'un minéral.

J'ai lu un récit, à propos de la naissance de l'Histoire de ce Peuple.

Le ciel regardait cette planète, à peine rétablie de ses dernières convulsions et qui cicatrisait ses plaies.

Il la regardait et il voyait, ramassée sur elle-même, tentacules repliés, ventouses endormies, toute l'Histoire du Mépris que la Terre allait porter et supporter.

Et le temps coula. La Terre s'était calmée, les montagnes ne cherchaient plus à dévorer les collines et toléraient les vallées. Les océans avaient pris leur parti de la situation, et restaient aussi sûrement enfermés dans leurs limites que de l'eau dans une bassine.

Il y a quelques milliers d'années, l'Histoire s'éveilla, agita ses tentacules à la recherche de sa nourriture.

La lande s'étendait devant l'homme jusqu'à l'horizon. Depuis combien de temps marchait-il dans cette solitude ? Jour après jour, l'horizon restait planté, là-bas, dans une brume d'un gris bleuté.

Un oiseau se posa tout près. L'homme s'avança vers lui et l'oiseau se laissa caresser.

Ce matin-là, justement, il aperçut très loin une silhouette confuse. Celle d'un homme immobile qui l'observait. Pourquoi, en le voyant dans cette immensité silencieuse, éprouva-t-il un sentiment nouveau pour lui, étrange et qui le fit trembler ? Un sentiment que par la suite on appela la peur.

Ils étaient tous les deux seuls dans ce désert de pierres et d'herbes sèches, et ils restaient sur place, s'épiant, comme si chacun d'entre eux représentait un péril pour l'autre.

L'homme fit un pas en avant. L'autre se mit à courir dans la direction opposée et il disparut dans le lointain.

Alors, en colère, l'homme courut à sa poursuite.

L'Histoire se convulsa dans ses ténèbres et lança en avant un tentacule qui fouetta l'espace, sèchement.

Lorsqu'il le rattrapa, ils se regardèrent à quelque distance l'un de l'autre et un abîme se creusa entre eux.

Pourquoi y avait-il de la méfiance dans ce monde ?

Soudain, l'homme prit la parole, brutalement, et il découvrit la première insulte.

L'autre se laissa tomber à genoux. Il avait trouvé spontanément la posture de l'implorant.

L'homme resté debout s'approcha de lui. Il le regarda un instant et, pour manifester le dégoût que lui inspirait cette créature pourtant semblable à lui — et peut-être à cause de cela — il inventa de lui cracher à la face. Puis il le gifla et en fit son esclave.

Pourquoi y a-t-il du mépris dans ce monde ?

Un nuage, pâle comme la colère, apparut, flammé de violet et frangé de brun de Sienne. Il resta suspendu au-dessus des deux hommes, menaçant et immobile. L'Histoire le happa et s'en reput. Puis elle déploya ses tentacules et tint le monde entier dans ses ventouses brûlantes et vicariantes.

C'est depuis ce temps que les oiseaux ne se laissent plus caresser par les hommes.

*
*   *

Lettre n° 24

Les colonnes de la vie

L'homme est-il la seule colonne dressée entre le ciel et la Terre ?

Sans doute que non, mais c'est pourtant ce qu'il croit, observe le vieil homme. Au sommet du grand mât du vaisseau, il a hissé le pavillon signant sa domination sur le monde.

Mais, tous ces êtres que porte la Terre ne sont-ils pas autant de colonnes, autant de signes de la vie ? La touffe de primevères aussi bien que le moucheron, et celui-ci aussi bien que tel ou tel homme.

Originellement, les colonnes ont été dressées côte à côte, de la même taille, dans une même assemblée, dialoguant toutes ensemble sur un thème identique : celui du chant de la vie.

Élever une colonne plus haute que les autres, c'est une idée née dans un cerveau malsain. Car l'équilibre du Tout est inscrit dans l'égale valeur de tous.

Pour s'être placé au-dessus du reste, ce Peuple a rompu les liens qui l'unissaient à tout ce qui l'entoure, et même à l'univers qui est en lui. Il est seul avec son rêve, dans un monde qui s'effondre.

Des espèces se raréfient, des colonnes se lézardent ; des espèces s'éteignent, des colonnes s'écroulent. Les océans, les rivières se meurent. Ce que tu vois, mon ami, est comme un jeu de quilles frappées par une boule dévastatrice.

« Pour n'avoir pas compris que chaque être, que chaque chose, sur cette Terre, porte la même mesure de vie, ce Peuple est en train de mettre tout le jeu par terre », me dit doucement le vieil homme. Et, a-t-il ajouté, « lorsque toutes les colonnes se seront abattues, celle qui est la marque de ce Peuple s'effritera en poussière, et il sera trop tard pour le regretter et pour se lamenter.

« A moins que la rumeur de la Reconquête, qui monte ici et là, ne se fasse entendre et gagne toutes les nations. Il faudra bien un jour amener le drapeau, devenu loque, sur le bateau de la Mer des Poissons, et hisser, sur celui de la Mer du Verseau, l'emblème de la communion. »

*
* *

Lettre n° 25

Une étincelle de joie dans un écrin de simplicité

« N'entends-tu pas le ronronnement de la Terre ? » m'a demandé le vieil homme. Avec les hommes, je n'ai connu que des échecs, des semi-échecs, des semblants de réussite. Mes seuls succès, c'est avec des plantes, des animaux que je les ai vraiment éprouvés. Ainsi ce petit chat. Il venait sur mes genoux, dormait à côté de moi et ronronnait paisiblement. Je le regardais, je l'écoutais. Son ronron était à l'unisson du ronronnement de la Terre. Ce bonheur, à ras des éléments, lové dans la simplicité, parce qu'il était ressenti auprès de moi, non seulement malgré ma présence mais à cause d'elle, a représenté, en cet instant, une des grandes réussites de mon existence.

*
*   *

Lettre n° 26

L'empreinte du sacré dans la musique des gestes

Tout être, toute chose est un lieu de célébration de la vie. Toute chose, tout être est une cathédrale dressée depuis la Terre vers le ciel. Ce Peuple a planté des temples, partout, parce qu'il n'a rien compris de la sacralité de la vie. Il a situé le sacré dans les fantasmes nés de son imagination, et il n'a pas vu qu'il le foulait à chacun de ses pas, qu'il l'écrasait et le détruisait, après l'avoir défiguré. Les temples sont devenus des bazars de rêves, perdus dans une mare d'insensibilité.

De proche en proche le réel a été arraché et les champs ont été ensemencés avec les graines du factice et du conventionnel.

La célébration de la vie a reculé devant celles des guerres passées, des révolutions avortées, des divinités incomprises. Ce Peuple piétine dans les ornières des cérémonies puériles. Mais, partout, se rassemblent les croisés de la Reconquête pour réinscrire sur tous les points de la Terre, sur le visage des choses et des êtres, la marque du sacré qui signe l'appartenance à la communauté de la vie, une et indissociable.

*
*   *

L'enfant hurlait dans la nuit. A genoux dans le sang de sa mère éventrée, l'enfant hurlait dans la nuit.

Lettre n° 27

L'inspiration inépuisable de la vie

J'écrivais. Sur ma feuille de papier marchait un petit moucheron, une minuscule petite chose, aussi grande que la pointe de ma plume.

Elle allait et elle venait, elle avait des pattes, une tête, un corps, des ailes, et elle volait d'un point à un autre de la feuille. Celle-ci, pour elle sans doute, était aussi vaste qu'un désert.

Elle s'affairait, à la recherche d'un point d'eau peut-être.

Je la regardais. Elle accomplissait sa petite vie tout simplement et c'était un spectacle merveilleux.

Les foules se réunissent, soulèvent de la poussière et du bruit, pour assister à des feux d'artifice, à des carnavals, à des défilés militaires, pour écouter des gens pérorer ou qui prétendent chanter.

Mais que sont ces mascarades à côté de la contemplation d'une telle authentique parcelle de vie ?

*
*   *

Lettre n° 28

Un drame coulait doucement...

Elle avait l'aspect des agonisants.

Le teint terreux, le regard vitreux, elle ne voyait plus rien des paysages qu'elle traversait. Jour après jour, elle était assassinée.

Le temps n'était pourtant pas loin où, légère et vive, elle offrait son visage limpide à ceux qui la regardaient et lui souriaient.

Elle apportait la vie avec elle, en elle, dans un élan d'allégresse attendrissant qui égayait les jours et étonnait les nuits.

Depuis que je la connais, j'aime l'accompagner et marcher à ses côtés. Nous avons eu de longues conversations tous les deux.

Elle m'a raconté des histoires de son enfance, très jolies, mais qui m'attristaient, parce que tout cela était fini, enseveli avec la poussière des choses fanées.

« Lorsque j'ai vu un poisson qui flottait, m'a-t-elle dit, j'ai compris que le drame était consommé. Je savais que le drame mûrissait sans bruit, imperceptiblement, mais je le sentais chaque jour plus présent en moi.

« Tout a commencé après la construction de l'usine. Mon visage s'est alors couvert peu à peu de rides malsaines. Mon corps a été parsemé de plaques brunâtres, sales et malodorantes. Ma démarche est devenue lourde et ma gaieté s'est dissoute dans la consternation de me voir lentement empoisonnée. »

Je suis allé à l'usine. J'ai parlé à des ouvriers et au directeur.

— Vous êtes en train de tuer mon amie, leur ai-je dit.

Ils m'ont regardé avec un sourire amusé. A leurs yeux qu'étais-je d'autre qu'un imbécile ?

C'est curieux, mais la plupart des gens de ce Peuple me considèrent comme un naïf, un esprit simplet, pas dangereux, certainement pas méchant, amusant par ses propos saugrenus. A la fin, Klaanah, je suis déconcerté et j'en arrive parfois à me demander si je suis très normal... Heureusement que mes amis de la Reconquête, dans les allées à peine tracées des Temps du Verseau, me réconfortent par leur présence.

Les ouvriers, le directeur se moquaient de moi, c'était visible. Et pourtant, la rivière mourait doucement.

C'était tout un pan du respect pour la vie qui s'écroulait sous leurs yeux. Est-on fou si l'on est attristé par la mort d'une rivière ?

Lettre n° 29

Des enlacements déchirants

Le cri de la Terre est l'enfant des épousailles de la violence et de la tendresse.

Le cri de la Terre est issu de la violence de la vie, dans son combat pour subsister, et de la tendresse de la vie, dans son effort pour se perpétuer.

Le cri de la Terre, c'est le soupir de la vie et son renouveau permanent, qui germe dans une aura de dureté ; c'est l'aspiration de la vie à recouvrir les choses écloses d'un voile de douceur et d'apaisement.

Le cri de la Terre, c'est le bourgeon en attente du signe, disponible pour laisser couler son destin dans les veines du printemps ; c'est l'oiseau migrateur qui prend son envol sur des routes qu'il est le seul à reconnaître ; c'est la graine qui fait éclater le sol à la rencontre de la lumière et de l'espace ; c'est l'enfant, le petit animal, ce sont toutes les jeunes touffes de vie qui font déferler une grande vague de communion sur toutes les plages de l'existence.

Le cri de la Terre, c'est aussi la fureur de la tempête qui couche les arbres, comme des gisants de cathédrales, des guerriers morts au soir des batailles. C'est aussi des maisons effondrées, des forêts carbonisées, des cadavres qui flottent dans les plaines noyées, des agonisants plantés aux points de rencontre des accès de colère des éléments.

Le cri de la Terre, c'est l'arabesque de la compassion qui mêle ses motifs à ceux de la brutalité. C'est l'entrelacement de l'insensibilité et de la sensibilité entre des grandes coulées de vie qui meurent de faim, d'épuisement, de soif, de froid, de chaleur, de sécheresse, dans les inondations, de n'importe quoi, sous le regard d'un jour indifférent, mais où sont présentes les caresses accordées par les esprits bienveillants, de garde tout au long des chapelets de la vie.

Le cri de la Terre fuse au foyer des tensions entre des forces hostiles, engagées dans des querelles qu'elle ne peut contrôler. Le combat est général, la fumée ensanglantée monte de partout, coule dans les humeurs de la Terre, dont la tendresse est débordée par autant de brutalité.

Un flot de larmes jaillit de ses entrailles, noie ceux qu'elle désire protéger et abreuve tendrement ceux qui l'assassinent.

Quelle survie pourra-t-on espérer lorsque la Terre sera devenue folle ?

*
* *

Lettre n° 30

Un assassinat impuni

C'était une petite fille mignonne, diaphane, fragile. Elle allait avoir deux ans dans quatre mois. Une maladie congénitale avait ralenti sa croissance. Elle avait été opérée une fois et elle devait être réopérée. Mais le médecin et le chirurgien hésitaient car les risques étaient considérables.

— Nous prendrons une décision dans trois mois, avaient-ils dit à sa mère. C'était un ultime sursis qu'ils avaient offert à la mère et à sa fille.

Elle ne savait pas marcher. Aussi sa mère la promenait-elle dans les champs et dans la colline. Ses grands yeux bleus regardaient autour d'elle avec intensité, comme si elle savait que, peut-être, elle ne verrait plus tout cela bien longtemps encore.

C'était un homme pieux. Il aimait la nature et, avec son chien, il faisait de longues promenades dans les collines. Cet homme pieux aimait la vie, parce que la vie était le témoin de Dieu sur la Terre.

La petite fille contemplait les arbres avec étonnement, tels des personnages pour elle très importants. Les chiens, les chats étaient ses compagnons quotidiens, à qui elle gazouillait de longues histoires. Et, lorsqu'elle voyait un oiseau voler, elle tendait ses bras vers lui, son visage illuminé, un rire joyeux fusant de sa bouche entrouverte — le seul moment où elle riait, d'ailleurs — tout son petit être bouleversé par l'émerveillement.

L'homme pieux respectait la nature et aimait l'observer.

C'était le temps de la migration. Sa mère tenait la petite fille dans ses bras, à l'orée d'un bois. Tout là-bas apparut un vol d'oiseaux, puissant, majestueux et solennel. Lorsque la petite fille les vit, glissant tout droit vers elle, très haut, ce fut une explosion de rires, une grande fête qui se produisit en cet instant, entre elle et ces oiseaux qui s'en allaient si loin.

L'homme pieux marchait à quelque distance du bois, un fusil à la main.

La petite fille suivait les oiseaux des yeux et sa mère sentait son corps tendu pour une envolée à leur côté.

L'homme pieux leva son fusil et visa les oiseaux. Deux coups de feu retentirent. La petite fille se recroquevilla, les yeux dilatés par la peur et l'incompréhension, petit tas de détresse regardant un oiseau se détacher du vol et qui tombait lourdement vers le sol.

L'homme pieux ramassa l'oiseau que lui apportait le chien. Il était blessé. Il lui tordit charitablement le cou pour l'achever d'une manière humaine. L'homme pieux était heureux. Il était dans la nature qu'il respectait et il aimait tellement les animaux.

Alors que trois mois de sursis lui avaient été accordés, qui auraient pu être l'occasion d'une jolie moisson de ravissements, la joie de la petite fille s'était éteinte en même temps que la vie de l'oiseau. Elle ne savait pas que l'homme pieux était un protecteur de la nature.

*

*   *

Lettre n° 31

Un mot inabordable

Tout à l'heure, je me suis assis à côté du vieil homme, sur le pont du bateau. La Mer du Verseau était calme. Le bateau était presque désert.

— Certains prétendent que je n'aime pas ce Peuple, me dit le vieil homme. Sa voix était douce, tranquille, avec quelques intonations tristes.

— Ce Peuple a une fonction, son existence a un pourquoi. Il est sur la Terre. Cela doit avoir un sens, une nécessité. Il répond à ce sens, il dialogue avec cette nécessité, ou il les ignore. S'il s'obstine à s'agiter sur un navire qui sombre, là-bas, de quel intérêt serait l'amour que je pourrais lui porter ? S'il vient ici où il est attendu, que resterait-il d'un mot qui ne signifie plus rien, depuis qu'il a été déchiqueté, disloqué par les tempêtes de la Mer des Poissons ?

*
* *

Lettre n° 32

Le refuge dans l'ivresse du bruit

J'ai rêvé qu'un jour le Silence s'était subitement répandu sur la Terre, poussant devant lui une vague de peur, d'étonnement et d'incompréhension.

Pour la majorité de ce Peuple, ce silence était comme un linceul qui avait recouvert la Citadelle. C'était une désertion du coutumier, de l'habituel, du normal. Le visage de la vie semblait s'être effacé.

Désemparé, le Peuple du Pays de l'Envers se tenait debout, immobile, en attente. C'est alors qu'un feu glacial avait envahi l'âme de tous ces gens. Les pensées, les gestes, les projets, les paroles, les activités, les ambitions avaient crépité, tel un incendie de forêt. Et tout s'était consumé : les mensonges, les conflits, les opinions religieuses, politiques, philosophiques ; le savoir, l'avidité de posséder, de dominer ; les conventions, les valeurs factices, les richesses conventionnelles, les normes arbitraires. Tout ce qui représentait, entretenait l'existence de tous les jours, flambait, se convulsionnait, se disloquait au rythme des flammes.

Qu'importe les conflits du blanc et du noir si le bleu du ciel est finalement le vainqueur ?

Bientôt, de tout cela, il ne resta qu'un petit tas de cendres noires. Le feu s'éteignit. Le vent se leva, fit tournoyer les cendres un moment, en une ronde d'abord lente qui s'accéléra et, d'un coup, elles s'envolèrent, disparurent. Le Peuple devint semblable à un îlot environné de silence, dans un océan de vide, avec des lambeaux de peurs, des écharpes d'angoisses qui traînaient ou flottaient ici et là.

Alors, un long gémissement monta de toutes les foules rassemblées. Les hommes, les femmes étaient inertes, dépouillés de ce qui avait été le sens de leur existence, la justification de leur activité, le contenu de leur agitation, de tout ce par quoi ils tentaient d'être quelqu'un. Et maintenant ils étaient là, hébétés, déconcertés, n'ayant même pas un conflit à portée de leurs mains, pas une hostilité à ronger, personne à tromper, rien, en somme, de ce qui avait été les joies de leur existence quotidienne.

Brusquement un éclat de rire fusa de quelque part, jaillit de partout. Le silence reflua. Le bruit, le tumulte et toute la panoplie des vacarmes du Pays de l'Envers avancèrent, se déployèrent sur la Terre, réinvestirent le cerveau des hommes et des femmes.

Dans un grand cri d'allégresse, dansant et chantant, hurlant et riant, ils retrouvèrent tous les ingrédients de leur existence habituelle : leurs masques, leurs chaînes, leurs conditionnements, leurs livrées d'automates et d'esclaves.

*
* *

Lettre n° 33

Un jardin dans le ciel

Les soleils, dispersés dans l'espace, sont accrochés à l'Arbre cosmique, telles les pommes dans l'arbre d'un verger.

Les fleurs, les animaux, les arbres de la Terre savent qu'ils ont pour compagne une étoile dans le ciel.

Pourquoi si peu de femmes et d'hommes aiment-ils se promener dans les allées de ce monde merveilleux ?

Lettre n° 34

Une agonie piétinée

L'œillet gisait par terre, comme un mégot. Il était piétiné, bousculé, écrasé par la foule qui passait et ne le voyait pas ou, l'apercevant, ne faisait aucun écart pour l'éviter, aucun effort pour le ramasser.

L'œillet était abandonné là. Il avait été jeté et il mourait doucement. Mais peut-être était-il déjà mort ? Qui peut savoir si un œillet est mort ou s'il agonise encore ?

L'œillet, cette pauvre chose, avait vécu selon les lois de sa vie. Pour le plaisir de quelqu'un, sa tige avait été coupée et, lorsque le plaisir avait cessé, ce quelqu'un l'avait jeté.

Klaanah, comme tout cela est bizarre ! Les gens de ce Peuple ne reconnaissent que leur souffrance personnelle et restent étrangers à la souffrance des choses. Ils cueillent une fleur, comme cela en passant, en pensant à autre chose, ou en s'exclamant : « Comme elle est belle ! » Sans comprendre qu'en cet instant le mécanisme de sa mort s'est mis en route.

Ils tiennent dans leur main ou disposent dans un vase un être qui se meure, et de cette douleur ils font un ornement.

Un jeune homme a ramassé l'œillet et les gens l'ont regardé, étonnés. Il l'a gardé dans sa main et il lui a parlé doucement, pour qu'aux confins de son angoisse et dans la nuit glacée qui l'enveloppait, la douceur de sa compassion l'aide à franchir les derniers pas de son destin d'œillet.

La foule passait, ne savait rien de ce drame, et le jeune homme semblait soulagé d'avoir pu introduire sa propre solitude dans la solitude de cette fleur. Je crois, Klaanah, que quelque chose de lui était mort en même temps que l'œillet.

*
*   *

Lettre n° 35

A l'écoute du parler originel

La Terre le demande : « Qui installera l'existence sur une autre portée ? »

De colline en colline, maillons d'une chaîne qui fait le tour de la Terre, les artisans de la Reconquête improvisent des airs nouveaux.

Les airs à la mode sont portés au rouge, filtrés pour éliminer leur gangue de mensonges et de travestissements, versés dans les moules où ils remodèleront leur visage d'antan.

Lancés de loin en loin, comme des serpentins joyeux, les airs régénérés pourront être posés sur la portée du parler originel.

Alors chacun, chantant ou écoutant, égrènera les mêmes notes, retrouvant les sons purs d'une pensée dégagée des hypocrisies.

*
* *

Lettre n° 36

La dynamique de l'ignorance

Le passé et le présent marchent à la mesure de la même fanfare.

Sur le fleuve flottent les cadavres du passé. Sur les chemins, dans les vallées, les bois, partout, gisent les cadavres du temps présent.

Cela m'a été raconté : Il fut un temps où une maladie fut apportée de par-delà les océans et envahit ce continent. C'était une maladie réputée honteuse, parce qu'elle naissait de la fornication. La religion, sévère sur ce point, ne tergiversait pas ; les autorités de ce temps, les médicastres impuissants, non plus : on noyait ceux qui en étaient atteints.

Aujourd'hui on sait que c'était un comportement barbare, fondé sur l'ignorance.

Cela, je l'ai constaté : une maladie qui a toujours existé par périodes s'était réveillée. On la suspectait d'être propagée par les renards, les chiens, les chats. Dès qu'un cas était signalé, on massacrait chats, chiens et renards, comme cela, bêtement.

Un jour, on saura qu'un tel comportement sauvage est le témoin d'une ignorance identique à celle du passé.

Cadavres ici, cadavres là. En guise de linceul les recouvrant tous, la fatuité, la suffisance de ceux qui croient tout savoir, pour qui le meurtre en série est la marque d'une pensée élaborée, d'un geste civilisateur. En même temps que cette frénésie de tueries apporte une jouissance sans péril à ceux qui ont besoin de tuer pour s'affirmer.

*
*   *

Lettre n° 37

Les mamelles du Père

Le fifre le fait remarquer de colline en colline : « Un homme ne sera jamais plus qu'un homme. Quand il y réussit, c'est déjà un miracle. »

Qu'il y ait des principes, c'est bien, mais qu'un homme puisse incarner un principe, c'est ridicule.

Que penser de ces foules massées sur le passage d'un homme censé représenter sur Terre un Dieu, le pouvoir, ceci ou cela, n'importe quoi ?

Que penser de ces gens qui cherchent à toucher le vêtement, la main de tel ou tel individu, comme si ce geste, cette présence, pouvaient avoir un effet salvateur, sacralisant, transfigurant ? Un courant né de l'illusion, du fantasme, du puérilisme, passe de la personne survalorisée vers le pauvre homme, la pauvre femme qui l'approchent, extasiés.

Que restera-t-il de ces coutumes, de ces croyances du Temps du Père, du Temps des Dépendances, sur le navire qui croise au large, dans l'attente de cingler vers la Mer du Verseau ? Qu'en restera-t-il ? Une fumée pâle et frémissante qui tournera très haut, noyée dans la poussière des civilisations éteintes.

*
* *

Lettre n° 38

Lois écrites... Lois inscrites

Le monde imaginaire, créé par ce Peuple, possède ses gènes. La vie a les siens et ce ne sont pas les mêmes.

Sans doute est-ce pour cela que le monde dans la Citadelle est étranger à la vie. Ce Peuple est fasciné par les gènes de son univers imaginaire. Tout signe émanant d'eux est saisi, happé, avalé, digéré, assimilé avec avidité, sans que ces gens soient jamais rassasiés.

Mais, Klaanah, si tu leur parles des gènes de la vie, ils te regardent avec méfiance et s'éloignent comme on s'écarte d'une maladie honteuse.

Les gènes imaginaires lui commandent de manger des aliments empoisonnés, d'absorber des médicaments toxiques, de se faire inoculer des microbes, des virus, de se distraire d'une façon absurde, dangereuse, vulgaire ou meurtrière, de se laisser emporter politiquement, culturellement, économiquement par une dynamique de médiocritisation accélérée, en passe de devenir irréversible pour certains, entraînés vers les marches de l'imbécillité. Alors, tous ensemble, se tenant par la main, chantant et gambadant dans une joyeuse farandole, ils courent au son de la fanfare de tous leurs gènes réunis, laissant derrière eux les tombes des assassinés, des empoisonnés, des intoxiqués, des suicidés.

Ah ! les braves gens ! Si tu les voyais écouter avec ferveur, avec ravissement, ceux qui les trompent, qui les précipitent dans les

voies de leur perdition, de leur engloutissement dans les marécages
où barbotent d'étranges personnages.

Mais, qu'importe les morts, les désespérés, les affamés, les
sans-abris, les massacres, les menaces de guerre, les déserts qui
envahissent la Terre ; peu importe, les gènes commandent.

En rang, par unité de masse, le Peuple est aux ordres et
acclame ceux qui creusent sa tombe. Il voit les ruines qui s'accumulent autour de lui, il croise toutes les expressions de la vie qui s'étio-
lent et dépérissent, mais il ne s'estime pas concerné. Il perçoit sous
ses pieds la Terre qui se lézarde sous les coups qu'il lui assène, mais
il ne se croit pas menacé.

Derrière les remparts de la Citadelle, enivré de mensonges, la
vue trouble, la démarche incertaine, les pensées en veilleuse, il
marche d'un seul élan, d'un même pas, fièrement, vers les grands
cimetières qui l'attendent.

Comment ce pauvre Peuple ne comprend-il pas que les lois de
la vie sont inscrites dans la moelle des choses, dans sa propre
moelle ?

Le livret de la vie n'a-t-il pas marqué une fois pour toutes ses
accords dans les jeux de l'existence ? Est-il donc si difficile de les
écouter, de chanter avec eux ?

Car lorsque les lois inscrites sont effacées ou rejetées, les lois
écrites apparaissent.

« Je n'ai aucune loi à donner aux hommes », a dit un adepte
d'une approche sans maître de l'existence (1). Pourquoi, en effet,
donner des lois là où les lois existent ?

Les lois, inscrites dans la sève des choses, se lovent en spirale
dans la trajectoire des saisons et des soleils. Elles sont les graines
d'où jailliront les moissons à venir.

Mais, ce Peuple qui s'obstine, quelles moissons peut-il espérer
sinon des gerbes de souffrances ?

*
* *

---

1. Siuan-Kuen.

Lettre n° 39

Les répons des sourires et des soupirs

Toute rencontre pourrait être une fête.
Le rayon de soleil avec l'avoine sauvage ;
la pluie qui glisse dans la Terre vers la graine ;
la montagne qui joue avec l'écume des nuages ;
toute main tendue vers une autre main, vers une autre vie ;
deux tendresses qui se croisent puis suivent le même chemin,
allant de sourires en soupirs.

...

Qu'a-t-on fait des fils et des filles de la Terre pour qu'autant de rencontres aient cessé d'être une fête ?

*
* *

Lettre n° 40

Qui réconfortera notre mère la Terre ?

Les appels de la Terre montent de tous les horizons.

Déchirants et continus, ils se rassemblent en courants puissants et forment les vents.

Engoncée dans sa robe de violence, la Terre crie, vers tous ceux qu'elle porte, son appel pour que choses et êtres, unis dans un grandiose élan de solidarité, l'aident à revêtir les habits de la tendresse.

Tous, êtres et choses, sont prêts à lui répondre. Tous, sauf ce Peuple. Englué dans un délire au terme duquel il croit être appelé à tout réinventer, à tout recréer, il n'entend rien des soupirs de la Terre.

Cette Terre n'est-elle pas la Mère de tout ce qui est éparpillé sur ses genoux ? Quelle chose, quel être, parmi tout ce qu'elle a enfanté, ne se penchent vers elle pour la réconforter et, dans le déploiement fulgurant de l'existence, ne lui assurent pas sa dilection de respirer à son même rythme, lent et solennel ? Quel être, quelle chose, sinon ce Peuple ? L'infirme de cette planète...

J'ai vu une pauvre loque, enfermée dans une cellule. Il se lacérait la peau, déchirait ses vêtements, se frappait ; aussi était-il attaché. Devra-t-on ligoter ce Peuple dans sa folie pour qu'il cesse de se détruire et de martyriser sa Mère ?

Et celle-ci, sur les sommets de son désarroi, laisse les clameurs de sa souffrance s'exhaler en de puissantes tempêtes. Lasse de supporter les déraisons de son enfant, du creuset de sa détresse montent les volutes d'une rage exterminatrice, née au foyer d'un amour refusé.

*
* *

Lettre n° 41

Au foyer du désespoir absolu

Ils avaient encore trois heures à vivre.

Ils étaient debout, immobiles, dans l'obscurité, inquiets. Combien de leurs semblables les avaient précédés dans cet antre sordide ? Cela se sentait, ils y avaient laissé, suintantes sur les murs sales, les marques visqueuses de leur angoisse.

Mais pourquoi tant de peurs déposées sur le sol, et pourquoi ceux qui étaient là, immobiles, étaient-ils accablés ?

Quelques jours plus tôt, ils étaient chez eux, dans le calme des espaces, sous le ciel étoilé des nuits.

Et puis, une nuit avait commencé comme les autres, comme toutes les précédentes, semblable à toutes celles qu'ils avaient vécues, sans qu'ils sachent que c'était la dernière. Lorsque l'aurore était venue, ils ne s'étaient pas doutés qu'ils n'humeraient plus jamais la rosée du matin. Comme c'est curieux qu'un matin puisse être le dernier matin !

Les hommes, qu'ils connaissaient bien, des hommes qui étaient leurs amis, les avaient poussés sans ménagement, enfermés et conduits dans des wagons.

— En avant pour la fête ! criaient les hommes.

— Quelle fête ? avaient-ils demandé. Mais, les hommes, riant comme d'une bonne farce, ne leur avaient pas répondu.

— Notre vie, ici, n'était-elle pas une fête ? Hier, c'était la lumière, le grand silence des étendues familières. Maintenant, après avoir été cahotés, nous nous retrouvons dans les dimensions d'un monde qui n'est pas le nôtre.

C'est vrai, Klaanah, hier, ils étaient eux-mêmes, fiers et heureux, paisibles et confiants. Le soir, ils s'étendaient sur le sol et regardaient la nuit qui s'avançait vers eux, tendre et apaisante.

Ils avaient encore deux heures à vivre.

Pourquoi ces hommes, qui étaient pourtant leurs amis, qui venaient les voir souvent, leur parlaient parfois, les avaient-ils trompés d'une façon aussi incroyable ? Après les avoir fait galoper sur des routes entre des fils de fer barbelés, derrière des bœufs énormes, débonnaires, dressés pour les tromper eux aussi, ils avaient débouché sur une cour.

Les bœufs s'étaient écartés et la porte s'était refermée derrière eux. Ils avaient alors pénétré dans une seconde cour où ils s'étaient retrouvés prisonniers.

Mais c'était la fête...

Poussés par des cris, des vociférations, des coups de piques, ils furent engagés dans une sorte de couloir. Au fond, ils apercevaient de l'herbe et des bœufs qui paissaient tranquillement.

Alors, circonspects, méfiants, ils étaient entrés lentement, chacun dans une de ces étranges choses. Dès leur entrée, une porte devant, une porte derrière, avaient coulissé. Le tunnel était une caisse, dans l'obscurité de laquelle ils étaient enfermés, prêts pour être emmenés vers les foules qui allaient se réjouir de les voir mourir.

Des hommes qu'ils ne connaissaient pas, petits, excités, volubiles, étaient venus. Ils les avaient regardés en s'abritant prudemment. Leurs yeux étaient sournois, cruels. Puis ils étaient partis, après avoir gesticulé et avoir déversé des torrents de paroles.

Alors, un pauvre hère, d'aspect misérable, leur avait balancé des sacs de sable sur les reins, et il était sorti, lui aussi.

Dans le silence retrouvé de leur cellule, endoloris, tremblants, ils avaient été enveloppés dans les plis et replis d'une détresse écrasante.

Ils étaient six taureaux qui devaient mourir à cinq heures.

Alors que le deuxième taureau, debout, ruisselant de sang, recevait le quatrième coup d'épée, on entendit un grand cri.

C'était un petit garçon de cinq ans environ, livide, les lèvres violacées, les yeux grands ouverts, agitant convulsivement les bras dans la direction de l'arène et criant :

— Non ! Non !...

Il tomba sans connaissance au moment où le taureau s'écroula foudroyé.

*
* *

Lettre n° 42

Quand la montagne recevra l'appel, elle répondra

L'écho ne répondait plus.

Il fut un temps, paraît-il, où à l'appel venu des arbres, des animaux, des étoiles, des sources, le Peuple répondait.

De même qu'à l'appel venu du Peuple, les arbres, les animaux, les étoiles, les sources, répondaient eux aussi.

Et puis le Peuple s'est enfermé dans sa Citadelle. Il a fait de la Terre son esclave et des composants de la Terre sa propriété. C'est alors que les arbres, les animaux, les étoiles, les sources ont cessé de répondre et que l'écho s'est tu.

Le Peuple s'est retrouvé isolé dans un monde devenu étranger. Et le monde s'est écarté de ce qui représentait pour lui la Prostituée écarlate, dévoreuse et dévastatrice.

L'écho jaillissait de partout, du cœur des choses et du cœur de l'homme, lien subtil entre tous les existants de la Terre. Il développait sa mélodie sur les gammes de la tendresse.

L'écho montait alors de partout, en spirale vers les nuages qui jouaient avec lui. Puis il redescendait et, dans l'allégresse des matins ensoleillés, caressait au passage la cime des arbres, s'égarait dans les rues des cités, apportait la nouvelle aux herbes des vallons, aux chamois, sentinelles plantées sur le bord d'un rocher, batifolait avec les moineaux et les mésanges, et piquait une tête pour aller déposer une bise affectueuse sur le front des poissons.

L'écho était le compagnon de toutes les rondes de la vie.

Depuis qu'il n'unissait plus les êtres et les choses, dans l'envolée d'une commune sollicitude, la désorientation, la tristesse flottaient dans l'air alourdi des cités, en deuil sans qu'elles le sachent.

Mais là où les compagnons de la Marjolaine se rassemblent, l'écho renaît et un sourire radieux réapparaît sur le visage de tout ce qui sait l'entendre et lui répondre.

*
*   *

L'enfant hurlait dans la nuit. Poursuivi par le martèlement des bottes, l'enfant hurlait dans la nuit.

*
*   *

Lettre n° 43

La parole est à ceux qui savent se taire

— Que faites-vous ?
— Je cherche une étoile...
— Une étoile ? Mais il y en a plein le ciel !
— Je cherche l'étoile qui fait penser et agir ce Peuple. Toutes ces étoiles qui tremblent, ce n'est pas naturel. Elles ne tremblent qu'en regardant la Terre, n'est-ce pas surprenant ? Comme si elles

La quiétude est le langage des couples apaisés.

avaient peur. Comme si ce qu'elles aperçoivent les bouleversait. Que peuvent-elles bien voir de si terrifiant ici, si ce n'est ce Peuple ?

Vues de partout ailleurs que de cette planète, les étoiles ne tremblent pas. Elles ont cette attitude altière, paisible, un peu distante, propre à tout ce qui émane de la dimension et du clavier cosmiques.

Serait-ce donc la férocité de ce Peuple qui fait trembler les étoiles ? Pourtant, s'il existait une étoile qui inspirerait ce Peuple, elle ne tremblerait pas. Elle aurait la fixité tragique du regard de ceux qui commettent le mal et qui ne se réjouissent même pas de le voir se manifester.

Mais je ne vois nulle part une telle étoile. Comment ce Peuple pourrait-il établir une relation avec une quelconque étoile, aussi malveillante fut-elle, lui qui est devenu étranger à tout ce qui participe du cosmique ?

D'ailleurs, comment ai-je pu penser qu'une étoile pouvait avoir des mimiques de sorcière ? Une telle pensée montre que je commence à être contaminé et que je suis désorienté. J'espère, Klaanah, que je ne vais pas être obligé de prolonger ce séjour pénible encore longtemps.

Il me semble que ce Peuple, si loin de tout dans sa Citadelle, est mis en quarantaine par le reste de l'univers. Une quarantaine qui finira le jour où les éléments nobles de ce Peuple prendront enfin la parole.

*
* *

Lettre n° 44

Un petit tas de détresse

Klaanah, dans quel enfer ai-je été envoyé ?

Aujourd'hui je marchais dans la ville. Je marchais dans un désert. Des gens partout, des gens pressés, au regard dur, au regard triste, inquiet. Des foules de gens enfermés dans leur solitude, des masses de gens qui ne se voyaient pas, qui s'ignoraient.

Et, tout à coup, j'ai rencontré la solitude absolue. Une solitude sans appel.

Petit tas, posé au milieu d'une rue, îlot de rien perdu dans les confins de l'indifférence.

Je m'arrêtai et je regardai cette chose qui ne bougeait pas et dont personne ne se souciait. Je me penchai. C'était une chatte, une petite chatte tigrée, marron et noire, très jeune sans doute, recroquevillée sur elle-même, immobile.

Je la ramassai. Une couche épaisse de pus recouvrait ses yeux, mais je sentais sa chaleur dans mes mains, sa respiration régulière, un peu rapide. La vie ne l'avait pas abandonnée. La vie continuait vaillamment, d'une façon pathétique, à veiller sur elle. Je l'emmenai et je lavai ses yeux.

Ils étaient éteints. Un incendie était passé là et avait dévasté son regard. Un acide avait été jeté sur sa tête et avait brûlé ses yeux.

C'était une petite chatte mignonne, douce, affectueuse. Elle se laissait soigner, confiante. Je lui donnai du lait qu'elle but avec un biberon de poupée.

Au milieu de cette aura de détresse, traversant les nuages lourds et opaques de la tristesse où nous étions plongés tous les deux, comme un sourire planté au milieu d'une larme, la petite chatte ronronna dans mes bras... Dans un élan d'allégresse, j'aurais voulu chanter et danser avec elle, mais j'étais paralysé. Je la berçais doucement et je lui parlais, je l'interrogeais.

C'est alors que je l'appelai Lucie.

Sans doute n'était-elle pas sauvage et avait-elle eu une famille ? Et puis quoi ? L'avait-on abandonnée ? S'était-elle sauvée et perdue ? Mais qui avait pu lui jeter de l'acide sur les yeux ?

Au-delà des mailles de sa souffrance et de sa peur, ma compassion l'avait transportée dans ce continent connu des justes et, pendant quelques instants, elle avait cheminé dans les étendues d'une joie très pure.

Tout en la berçant, je pleurais doucement, sans bruit, écrasé par le poids de cette désolation et par mon impuissance à l'atténuer, par l'affreux sentiment qu'elle et moi étions abandonnés dans le ventre d'un cauchemar...

*
* *

Lettre n° 45

Là où le droit est, qui parlera du droit ?

Le fifre le proclamait :

« Accueillir la vie est l'acte le plus solennel de l'existence.

« Ouvrez les portes, les fenêtres de vos demeures.

« Ouvrez les portes de la citadelle, abaissez les ponts-levis, comblez les douves et laissez entrer les hérauts de la lucidité.

« Du ciel, des forêts, des montagnes, des rivières, des saisons, de la pluie, du soleil et des vents, des océans, de la brise et des tempêtes, des paroles surgiront apportant l'esquisse d'un autre vocabulaire.

« Soyez à l'écoute, le soir. Soyez attentifs la nuit. Soyez réceptifs le jour : un murmure grave et lent vous enveloppera, glissera dans les ruelles glacées de vos cerveaux, déposera les particules fraîches et légères de la limpidité cosmique.

« C'est alors que les vieilles peaux et les murailles tomberont en une poussière fine dans le creuset de l'oubli.

« Du fond de l'air devenu transparent, apparaîtront des formes neuves. Les droits de ceci et les droits de cela ; les droits de l'homme, les droits de l'animal, pauvres et pitoyables rêves sans consistance, se disperseront devant la conscience de la prééminence, de la primauté de la vie.

« Tout doit être respecté ou rien n'est respecté. Si tout est respecté, l'irrespect ne trouve plus de territoire où s'installer.

« Si l'irrespect n'a plus de place pour se manifester, le respect n'a plus de raison de s'affirmer.

« Les droits doivent concerner tout ce qui existe, ou les droits parcellaires de tel ou tel n'auront pas plus de consistance que des chimères. Le droit est partout, couvre tout, ou il n'y a de droit pour rien.

« La vie est partout, le droit doit être partout où est la vie. La vie s'exprime dans dix mille formes, dix mille droits doivent les accompagner. Et parce que le droit est partout, il n'y a plus de droit, on ne parle plus de droit, il est inscrit dans le regard de la vie.

« Les choses sont. Les choses sont accueillies. Tout ce qui est, est. Et c'est tout.

« Que cela soit entendu. »
Et le fifre se tut.

*
*   *

Lettre n° 46

Savoir comprendre le langage de la tendresse

La petite fleur, d'un mauve très pâle, se dressait sur une tige frêle et minuscule. Elle tremblait doucement, au rythme des caresses de la brise. Elle regardait le soleil dans l'entrelacement joyeux des herbes ondulantes. Elle souriait paisiblement et elle attendait. Depuis des jours, elle attendait.

Un papillon tout jaune s'était posé à côté d'elle.

— Qu'attends-tu ? lui avait-il demandé.

— J'attends un regard de l'homme, un signe d'affection de sa part...

Mais les hommes passaient et ne la regardaient pas. Ils passaient, parlant, discutant, se disputant ou riant, ne voyant qu'eux-mêmes et l'ombre d'eux-mêmes.

La petite fleur mauve était étrangère à leur monde, en dehors de leurs remparts, sans dénominateur commun avec les lois et les soucis de leur citadelle.

Elle était là, mais son attente et ses appels se brisaient contre la muraille mentale de ces gens.

Jusqu'à ce que l'un d'entre eux l'écrase, sans la voir, sans s'apercevoir qu'il avait détruit un pilier de la vie...

*
*   *

Lettre n° 47

Les collines meurent aussi

La plaie béante se voyait depuis les étoiles. Les constellations, en rang, défilant sagement comme les demoiselles d'un pensionnat, regardaient avec tristesse cette plaie de la Terre.

De la colline devenue carrière, tailladée, balafrée, cisaillée, abrasée, découpée en large pans verticaux, il ne restait qu'un moignon déchiqueté.

La souffrance de la colline, c'est celle du minéral qui s'exprime dans un langage et sur un registre que ce Peuple ne sait pas entendre et dont il ignore même l'existence.

Ces hommes, qui dépècent la colline, le font avec la même indifférence, la même inconscience, que ceux qui dépècent un animal vivant, qui torturent un homme ou une femme.

Alors, j'ai demandé :
— Cette colline est-elle morte ou est-elle encore vivante ?

Ils m'ont regardé, surpris, puis ils ont éclaté de rire. Que pouvaient-ils répondre à un fou qui posait une telle question ?

Les étoiles voient la poitrine de la Terre se soulever. Elles entendent la colline qui respire. Mais, pour ce Peuple, la Montagne est une chose inerte. Il ne perçoit rien des battements du cœur de cette colline qui souffre.

Les entendrait-il, verrait-il les mouvements réguliers de sa respiration, dont le rythme est celui de la trajectoire des siècles, qu'il la tuerait aussi sauvagement qu'il tue les êtres dont il sait pourtant qu'ils sont vivants et sensibles. Dans ce Peuple, aussi ignoble que puisse être la tâche, on trouve toujours des individus assez brutes pour l'accomplir.

Le sang et la douleur de la colline éventrée s'écoulent dans la plaine, entraînés par l'eau des pluies.

Ils rejoignent le sang et la douleur venus d'ailleurs, et s'infiltrent en un large courant dans le sol de l'existence des gens des villes et des villages. Ils étendent un voile de mélancolie dans l'âme de chacun. Des vapeurs de tristesse montent d'un peu partout sur la Terre et se cristallisent au fond des regards.

Qu'y a-t-il de plus désespérant que de pleurer sans que l'on sache pourquoi ?

*
* *

Lettre n° 48

L'ordre et le chaos

Là où l'Ancêtre est venu, l'Ancêtre a créé.

Klaanah, voilà ce que j'ai lu : là où l'Ancêtre a créé, il y a la vie. Là où il y a la vie, le sacré est révélé.

Au cours de l'enfance du Peuple, le sacré a suivi les pas des Ancêtres, s'installant là où ils s'étaient arrêtés.

En ces lieux privilégiés, le sacré investissait tout ce qui existait. Il régnait sur les choses et sur les êtres, leur conférant une vertu transfigurante : les humains, les arbres, les animaux, les étoiles, la pluie, le tonnerre, les herbes — qui n'étaient ni mauvaises ni bonnes, qui étaient là simplement — la lune et le soleil, le feu, l'eau, le vent, les nuages et la Terre, la Grande Mère.

Abattre un arbre, tuer un animal étaient des événements. La mort reposait toujours dans le lit d'un rituel. Le Peuple savait alors reconnaître la majesté d'un arbre, la majesté d'un animal, et il respectait leur âme.

Ce Peuple, aujourd'hui, refuse à certains humains la grâce d'avoir une âme ; comment pourrait-il en accorder une à une plante, à un animal ? Ce Peuple est vraiment pauvre et démuni au milieu de ses machines !

En ce Temps des Esprits, avant d'abattre un arbre, on s'excusait auprès de lui et l'on demandait à l'Esprit qui nichait dans son feuillage de pardonner et de s'éloigner. L'arbre était une personne, un personnage dans la société d'alors, comme était un personnage l'oiseau qui se posait sur lui.

D'ailleurs, tuer un animal à la chasse — non pour se distraire, mais pour se nourrir et par nécessité — ne pouvait être réalisé qu'au terme d'un long dialogue avec l'Esprit qui l'habitait.

De partout montait la rumeur des sollicitations, mêlée à celle des Esprits qui répondaient. Et malheur à celui, à celle qui transgressaient les liens qui les unissaient à ce monde invisible, puissant et toujours présent. Maintenant, ce Peuple tue, massacre, dévaste, comme cela, sans se poser de questions, sans vergogne, poussant devant lui les vagues d'acier de sa brutalité, sans peur, sans la crainte d'aucun choc en retour. Il est positif, il est réaliste, il a ses pieds et son crâne dans la matière, ce Peuple ; il ne se soucie de rien d'autre. Il est le maître, le seigneur des choses. Il se confère tous les droits. Il en use. Il ne voit pas le nuage qui s'amoncelle au-dessus de la Citadelle, lourd de toutes les souffrances infligées, de tous les meurtres réalisés. Le nuage pèse sur ses épaules, gêne ses mouvements, déconcerte ses pensées, et il ne sait rien de la cause de son désarroi. Jusqu'à ce que le nuage crève et le foudroie...

En ce Temps des Esprits, le sacré s'inscrivait sur le lieu privilégié où les forces de vie, issues du plan d'existence des Ancêtres, rencontraient le plan de la Terre. Une nappe de sacralité s'étendait alors sur tout ce qui peuplait ce lieu.

Là où la nappe s'arrêtait, le chaos commençait.

Aujourd'hui, il ne reste qu'une sacralité de bazar. Le chaos est partout.

*
* *

Lettre n° 49

Il y a aussi un Temps pour renaître

Klaanah, j'ai traversé les immensités galactiques, j'ai croisé combien de planètes, traçant leurs trajectoires autour de combien de soleils, avec l'obéissance de soldats tournant autour de leur adjudant ?

J'ai vu bien des formes de vie étranges, bien des façons curieuses d'exister, mais nulle part je n'ai rencontré autant d'horreurs que sur cette pitoyable planète.

Quelle malédiction pèse donc sur elle ?

La carte de la Terre est déployée devant moi. Chacun peut y voir les continents, les océans dessiner leurs profils bien connus, et que l'on croit disposés ainsi pour l'éternité.

Tout cela semble paisible et solide. Pourtant, un phénomène hallucinant se produisait sur toute l'étendue de la carte.

Je voyais chacune des nations où des atrocités, des massacres, des dévastations ont été commis, ou le sont encore, contre ce qui compose la personnalité de la vie. Chacune de ces nations s'effaçait.

Comme toutes les nations sont coupables, elles s'effaçaient, ici, là, partout, laissant des espaces vides dans les continents et, continuant à s'effacer, elles mettaient les continents en charpie pour finalement les faire disparaître complètement.

Je regarde la carte. Je vois les océans cernés par du néant. Les nations sont devenues des fantômes.

Le Peuple s'agite dans les vapeurs délétères de son délire. Ses convulsions agoniques lui apparaissent comme le visage extatique de ce qu'il appelle le « Progrès ».

Et alors, même les océans ont cessé de respirer.

Longtemps après, dans le creuset du silence, une vague a germé et a glissé sur une plage. Des taches d'un gris très pâle se sont formées, devenant peu à peu plus visibles, fusionnant pour dessiner et réveiller les continents endormis.

Un jour, un papillon, d'un bleu très doux se posa sur un brin d'herbe à peine sorti de terre. Le chant de la vie, le chant d'Abel se répandit alors de proche en proche, épousant les accords de la sérénité et de la sagesse enfin accueillies.

*
*   *

L'enfant hurlait dans la nuit. Un masque de détresse plaqué sur son visage, l'enfant hurlait dans la nuit.

Lettre n° 50

Dieu, comme les oiseaux, a quitté le ciel

L'adolescence de ce Peuple a ignoré le chemin de la maturation.

Le sacré, jusqu'alors déployé sur la Terre, là où les Ancêtres l'avaient décidé, fut projeté dans le Ciel.

L'adolescence de ce Peuple s'est saisie du sacré comme d'un glaive, et en transperça son propre destin. Elle l'enferma dans un cagibi obscur, y installa une cohorte de démons et une collection de masques grimaçants, aux côtés d'un éventail de divinités réputées bienfaisantes, aussi souriantes qu' impuissantes. Le Peuple se ratatina, se laissa envelopper dans les bandelettes d'une enfance momifiée.

Le Peuple s'est trompé de route, il y a quelques millénaires, semble-t-il. Il y avait les Esprits. De cette multitude d'Esprits, il a fait un broyat d'où est sorti, une fois filtré et décanté, le Dieu unique. De ce Dieu, il a fait une salade de religions, toutes hostiles entre elles.

Alors les temples de pierres furent dressés ici et là, et des prières montèrent vers le Ciel.

« Nous, pauvres pécheurs, éternels pécheurs », clament en chœur les foules rassemblées dans les temples. Depuis des siècles, les foules reconnaissent avec attendrissement et conviction que tous, hommes et femmes, sont de pauvres pécheurs.

Le vieil homme et moi marchions dans un sentier, loin des villes et des villages. Tout était calme et serein.

« Les grandes marées de la foi et de l'espérance montent périodiquement vers les voûtes des édifices réputés sacrés », me dit-il.

« Les croyants chantent des cantiques mais n'entendent que leur propre voix.

« Ce Peuple sème les horreurs, répand la cruauté, accumule les scandales et il demande à Dieu de lui pardonner !

« Mais Dieu ne répond pas.

« Croyants et non-croyants de marécage barbotent dans les eaux troubles de la démission, de la fourberie, de la lâcheté et laissent complaisamment la barbarie s'infiltrer autour d'eux et en eux.

« Sans doute, mon ami, as-tu remarqué ce nuage gris et menaçant, lourd de toutes les souffrances infligées aux hommes, aux animaux, aux plantes, à la Terre, qui stagne au-dessus de la Citadelle ?

« Et pourtant, Dieu se tait.

« Chaque jour invente un nouveau prétexte pour tuer : guirlande millénaire où se côtoient et se succèdent, comme sur la piste d'un cirque, les idéologies, les politiques, la science, les races, n'importe quoi.

« Mais Dieu ne se fait pas entendre. Cela ne te surprend-il pas ?

« Dans quelques jours une grande fête religieuse sera célébrée. Les foules chanteront un peu plus haut et plus longtemps que d'habitude. Elles chanteront dans un grand désert spirituel. Car Dieu ne chantera pas avec elles.

« Sais-tu pourquoi, mon ami ? Dieu ne chantera pas avec ces gens parce que Dieu sera parti.

« Que nous soyons des pauvres pécheurs un temps, c'est concevable à la rigueur. Mais que nous le soyons tout le temps, Dieu ne l'a sans doute pas supporté. Alors, il est parti. Où ? Qui peut le savoir ? D'autant plus qu'on serait bien en peine de le reconnaître si on le rencontrait.

« Être un pauvre pécheur, qui devrait être un accident, n'est-il pas devenu une sorte de profession, de mode naturel d'exister ?

« Les foules, maintenant, vont pouvoir chanter le *Cantique des Abandonnés*. Elles auront ainsi un motif supplémentaire de pleurer sur leur sort.

« Mais la Terre me l'a dit, et toi qui l'interroges et qui sais l'écouter, sans doute te le dira-t-elle aussi : depuis que Dieu est " mort ", ce Peuple, emporté dans les tourbillons de ses peurs, de ses caprices dérisoires et de ses fantaisies meurtrières, se débat désespérément dans les mailles de ses malédictions. Et elle a ajouté, comme se parlant à elle-même : Dieu est mort, disent certains. Dieu n'est pas mort, Il est parti. »

Lettre n° 51

Nés du même cri de l'origine

« La vie est au point de rencontre de trois infinis, m'a dit le vieil homme.

« L'infiniment grand, l'infiniment petit et l'infini de l'être, vers les profondeurs de sa racine transcendante, racine une, unique, de toutes choses et de tous êtres sur la Terre. Et peut-être ailleurs.

« Le fond des choses, le fond du ciel, le fond de l'être, se retrouvent et se rassemblent en un point qui est " nulle part et partout ", est-il écrit.

« Le chêne, à côté de toi, est bien au carrefour des trois infinis. Chaque composante de la vie module son intelligence dans de constantes épousailles avec l'ordonnance des lois cosmiques à laquelle elle appartient, avec laquelle elle communie et communique.

« Tout ce qui existe est présent en ce carrefour. Tout, sauf ce Peuple. Lui, il est au carrefour de ses lois, de ses règlements, de ses coutumes, de ses normes, de ses inventions.

« Pourtant, en ce point de rencontre des trois infinis, chaque chose, chaque être est un centre d'énergie, témoin de la force de vie qui gravite dans l'univers.

« Aucun de ces centres n'est au-dessus d'un autre. Certains ont une énergie plus puissante mais ne sont pas plus importants pour autant.

« Tout ce que tu vois ici plonge ses racines vers le même cri de l'origine. Tous les êtres, tout ce qui existe est une même famille, lancée dans une identique aventure, vers un but énigmatique, mais pourtant réel.

« Du cri de l'origine jusqu'à celui des accomplissements, la voie est droite, elle est une, et chacun sur le chemin pèse le même poids. »

Le vieil homme et moi étions assis sur la rive du grand fleuve. L'eau coulait devant nous, impassible, charriant l'éternité, laissant à chacun l'opportunité de retrouver et reconnaître ses origines grandioses.

Certains dialogues entre la roche et l'arbre sont très confidentiels.

Lettre n° 52

Un accouchement sans bruit

Il arrive toujours un moment où l'enfant doit quitter la matrice de sa mère.

Celui où ce Peuple va devoir s'extraire de la matrice de ses malédictions va sonner. Mais le tragique est-il nécessairement attaché à un tel instant ?

Sans doute que le drame naît partout sous les pas d'une Histoire qui se développe dans les sous-sols d'un mental égaré.

La Terre et tout ce qu'elle porte sont enfermés dans la matrice du vaisseau du Père. D'où le besoin millénaire de limitation, de s'enfermer, de se murer dans des structures closes, dans les dimensions des espérances sirupeuses, qui déploient leurs promesses paralysantes dans des brumes impénétrables et insituables.

Si l'accouchement, vers les espaces nus et sans limite, s'opère dans la trace d'une évolution logique, à la lumière de la grande mécanique cosmique, pourquoi ne s'accomplirait-il pas à l'image du naturel, sans bruit, sans histoire ?

Mais la Terre le sait, ce ne sera pas facile pour tout le monde, surtout pour ceux qui trouvent leur aliment préféré dans les cimetières du passé.

*
* *

Lettre n° 53

Abandonner les masures de l'âme

Le cri de la Terre glisse sur les flots déchaînés.

Le vaisseau des Temps du Verseau attend dans le lointain. L'heure d'embarquer approche. Mais combien sauront l'atteindre avant de s'être noyés ?

Car ce n'est pas simple. Le fifre le dit :

« Qui saura jeter, devant et autour de lui, les vêtements de ses pensées usées ?

« Qui réussira à s'extraire des vocabulaires défunts ?

« Qui saura délier les échafaudages compliqués, qui tiennent debout les masures où l'âme s'est réfugiée ?

« Qui arrêtera l'horloge affolée qui pousse en avant les foules dans les entrailles des conflits, des mésententes, tout au fond des regards haineux ?

« Qui acceptera de rester immobile et de se taire, de laisser s'effacer les chemins tracés dans les allées du Père ?

« Ne comprend-on pas que la Terre criera son infortune aussi longtemps que la lucidité ne pourra apparaître des profondeurs du sol et s'ouvrir au soleil, tel un bouquet de pâquerettes ? »

« Que cela soit entendu. »

Et le fifre se tut.

*
* *

Lettre n° 54

Les forces chantantes de la vie

La Terre le demande : « Qui commande ici ? »

« Les Forces obscures ou les Forces claires ?

« Les Forces délétères ou les Forces aérées ?

« Les Forces pesantes ou les Forces légères ?

« Qui commande ici ?

« Les Forces qui défigurent la Mort ou les Forces qui configurent la Vie ?

« La Vie, la Mort sont sœurs jumelles, filles de la même Mère, conçues au même instant, dans l'élan d'une unique intention : répondre aux exigences de l'existence, selon un thème dont chacun n'a rien à dire mais tout à accepter.

« La Mort, la Vie marchent côte à côte, semant à chaque pas leurs propres semences d'un geste égal, dessinant ainsi les traits de

mon visage, qui est ce qu'il est, étrange parfois, mais original constamment.

« Alors, qui commande ici ?

« Ceux qui fardent mon visage et le rendent méconnaissable,
ou ceux qui le laissent intact, tel qu'il est à mon réveil ?

« Ceux qui narguent la mort mais tremblent devant elle, la provoquent ou ceux qui laissent les deux sœurs accomplir ensemble
leur pas de deux ?

« Ceux qui recouvrent la Vie et mon souffle des cadavres qu'ils
sèment, des déserts qu'ils répandent, perturbant le ballet qui m'a
été inspiré à ma naissance, ou ceux qui me sourient, heureux de
danser avec moi dans le même bal, au rythme de la musique jouée
par les deux sœurs ? Personnage en fait unique, à deux visages,
dont une main jette les graines et l'autre ramasse les êtres et les choses, lorsque l'heure est venue de retourner à la Maison.

« Il y a un Ordre ici.

« Alors, qui commande ici ? Ceux qui, par ignorance, par
fatuité, par stupidité l'ont remplacé par des décrets de fous, ou ceux
qui le connaissent et veulent vivre selon l'ordonnance de cet
Ordre ?

« Quand ceux qui savent être à l'unisson de cet Ordre
refuseront-ils le désordre, pour réinstaller catégoriquement les Forces chantantes dans le cœur de ce pauvre Peuple ? »

Lettre n° 55

La liberté dans un carcan d'acier

Un roseau qui ne pense plus à grand-chose. C'est du moins ainsi que m'apparaissent les gens de cette Citadelle dans leur majorité.

Le vieil homme le remarque avec une certaine tristesse :

« Éviter les pensées originales, personnelles ;

« Piétiner dans les ornières creusées dans les cimetières, entre les couronnes mortuaires disposées en souvenir des idées mortes ;

« Donner son obole pour tenir debout les croyances moribondes encore le temps de quelques matins ;

« Répéter chaque jour les grimaces recommandées, les gestes absurdes appris depuis l'enfance ;

« S'en remettre à celui-ci, à celui-là dans toutes les circonstances de l'existence ;

« Croire en leur supériorité, en leur pouvoir, en leur savoir et se pelotonner à l'ombre de leurs paroles ;

« Glisser doucement dans les vapeurs sulfureuses de la crédulité ;

« Laisser envahir ses circonvolutions par les herbes tristes, rachitiques de la démission et trouver néanmoins l'espace suffisant pour installer, avec un sérieux incroyable, l'image de sa propre importance, dans cette mare de médiocrité.

« Pauvre roseau... Il ploie sous le vent, ce qui est naturel, mais il se plie en deux encore plus souvent devant ceux qui l'exploitent, se moquent de lui, le ridiculisent. »

Le vieil homme poursuivit :

« L'enfant, dès sa naissance, est attrapé comme un moucheron par une toile d'araignée. Il existe des pièges à mâchoire pour saisir les animaux, leur broyer les pattes. La Citadelle est un énorme piège à mâchoire qui broie les âmes, la pensée, le potentiel d'épanouissement qui est en chacun.

« La famille, l'école, les forces d'investissement et de conditionnement de la Citadelle rassemblent leurs efforts, dans leurs relations avec l'enfant, sur un point : enfermer le mental de l'enfant dans un carcan d'acier.

« On assiste ainsi à une émulation générale, persévérante et aveugle, à une véritable conjuration pour introduire l'enfant dans une société malsaine, l'obliger à suivre les circuits de pensée et de comportement en usage. Ces circuits s'ajustent comme des briquettes précontraintes pour constituer un édifice misérable que l'on appelle un " homme ".

« Pauvre roseau... Il plie sous le poids de ses matricules et, lorsqu'on lui assure qu'il est libre, il le croit.

« De tout cela, les Compagnons de la Reconquête ont pleinement conscience. C'est pourquoi, en présence d'une génération vieillissante, saturée de langage prométhéen, caïnocratique, despotique, vulgaire et destructeur, ils se proposent de fonder un monde à l'écoute des subtilités du langage épiméthéen, abélien, pétri dans la tendresse pour tout ce qui existe. C'est alors que l'homme découvrira les splendeurs de la vie intérieure et que la Terre retrouvera son souffle. »

*
* *

Lettre n° 56

Les couleurs du silence

De loin en loin, de petites parcelles de silence s'installaient sur la Terre, comme autant de points gris ou noirs sur la palette multicolore d'un peintre.

Mais pourquoi un grain de silence serait-il gris ou noir ? Le silence n'est-il pas le langage des profondeurs, langage universel émanant des racines, portant avec lui la sève des transcendances, veilleuse au foyer de l'âme ?

Quelle est donc cette moire de tristesse qui ondule au-dessus de ces points de silence, plaquée sur les lacs, les collines, les forêts ?

Le silence qui s'élève entre deux soupirs de la vie est rafraîchissant. Pour celui qui sait l'entendre, il déferle, telle une vague de douceur, l'enveloppe, le pénètre, puis l'abandonne, vivifié. Pour celui qui sait l'écouter, il apporte les vérités essentielles qui reconduisent les vicissitudes de l'existence quotidienne à leurs dimensions véridiques, très relatives.

Pourquoi cet autre silence, qui se dépose sur mes épaules, est-il si lourd, et l'angoisse qu'il provoque bat-elle au même rythme que mon cœur ? C'est, sans doute, qu'il est d'une autre texture, qu'il jaillit d'un autre abîme et qu'il s'exprime sur un autre registre cosmique dont les signes sont l'annonce des choses et des êtres qui disparaissent.

Chacun des grains de silence gris ou noirs, éparpillés sur la Terre, est, semble-t-il, l'ultime témoin d'une chose, d'un être, de ce qui fut vivant, de ce qui a été une espèce, une forêt, une ethnie détruites.

Je regarde ce Peuple qui va et vient, s'agite et parle d'abondance, traversant ces aires de silence de part en part, sans s'apercevoir que dans chacune d'entre elles une graine de sa propre mort germe doucement.

*

* *

Lettre n° 57

Nous sommes tous des concertistes

La Terre le crie : « A qui ai-je été présentée et combien m'ont été présentés ? »

« Que sais-je de ces enfants ? Combien d'entre eux ont quelque égard pour moi ? Quand leur a-t-on appris que j'étais leur Mère, moi aussi ?

« La vision de l'enfant est le reflet de la vision des adultes. Si celle-ci est indigente, quelle autre sève atteindra l'enfant, sinon une identique indigence ?

« Emprisonnés dans les dimensions de la Citadelle et de leur entendement, comment songeraient-ils à parler aux enfants de cette dimension intérieure, qui est le ciment de l'universelle communion, par laquelle ils retrouveraient l'affection que je leur porte à tous ?

« Ces fleurs que l'on arrache, ces arbres que l'on coupe, ces animaux que l'on mange, que l'on fusille pour se distraire, que l'on tue pour porter leur fourrure, que l'on torture au nom d'une préten-due science, que sont-ils, en butte à cette cruauté vorace, sinon des objets affectivement négligeables ?

« Comment puis-je croire que cela cessera si les hommes ne savent quoi inventer pour se martyriser entre eux, dans les pièges de leurs conflits sauvages, de leurs haines saugrenues, de leurs antagonismes ridicules, de leurs mutuelles incompréhensions ?

« Pourtant, est-ce si difficile de se sourire, de marcher ensem-ble dans cette existence si courte, si fragile ?

« Quel est celui qui, de sa main, a inventé le geste de rejeter ceux qui demandent de l'aide, ceux qui réclament de la tendresse, qui voudraient être reçus dans l'aura chaleureuse d'une oasis affec-tive ?

« Mais comment demander à un homme de tendre la main aux autres, s'il ne la tend même pas à lui-même ? Comment escompter un Ordre où l'on pourra échanger les mimiques de l'amour, alors que ceux qui s'arrogent le pouvoir de régler cet Ordre se sont égarés dans le labyrinthe morbide de leur cerveau, généra-teur de violence, d'égoïsme, d'indifférence ?

« Comment croire que le regard des enfants se fixera sur les dix mille spectacles que je leur propose, si on leur enseigne de ne voir que le seul contenu de l'existence dans la Citadelle ?

« Pourquoi seraient-ils éblouis par les couleurs et les jeux de la vie, s'ils ne regardent que la face verdâtre, morne et dérisoire des machines déshumanisées ?

« L'humanisme qui, attendrissant, obstiné, survivait, s'étiolant doucement, arrosé trop peu souvent, ne va-t-il pas se dessécher au terme de ces relations incongrues, parce que privilégiées et magni-fiées, avec ces appareils blafards, utiles certes, mais dépourvus d'âme ? Ou est-on décidé à leur en reconnaître une, alors qu'on la refuse à mes enfants, à des populations humaines entières, alors que ce Peuple, souvent, ne l'accorde même pas à ses femmes ?

« Cet humanisme, d'ailleurs, n'est-il pas un rétrécissement de la vision cosmique à la seule dimension de l'homme ? Est-il donc si difficile, si incroyable, si hors de proportion avec l'existence convenue, normalisée, institutionalisée dans la Citadelle, d'accepter que tout ce qui est hors des remparts est un exécutant à part entière dans la symphonie de la vie ?

« Quand les enfants des hommes sauront-ils tendre la main pour se lancer dans l'allégresse d'une ronde sans fin, au son des chants de leurs fiançailles avec tous mes autres enfants ?

« Je le demande et je le crie : de telles fiançailles, ouvertes sur une conscience cosmique des relations de chacun avec l'univers, ne sont-elles pas le plus sublime accord qui puisse être plaqué à l'orée de l'existence ?

« Je le demande et je le crie : n'est-ce pas au terme de ces fiançailles que les mouvements du concerto, que tous joueront, feront entendre le ravissement d'être et de bien-être ? »

La Terre m'a regardé et m'a dit :

« Mon ami, tu n'es pas d'ici et tu me comprends. Pourquoi si peu de mes enfants saisissent-ils ce qui est pourtant si simple ? Pourtant, la conscience, incarcérée dans la Citadelle, débouche sur l'angoisse et la détresse, sur le flétrissement de la joie, mais tout cela serait-il un thème de jubilation pour eux ? »

*
* *

Lettre n° 58

Une larme pour les étendues dévastées

Chaque jour est un jour de deuil. Le navire, qui a erré dans la mer des Poissons, a laissé derrière lui un sillage millénaire de cadavres, une interminable traîne de massacres, de dévastations, de misères, de haines.

Sur le livre de bord, chaque jour est marqué et chaque jour est un jour de deuil.

Avec la violence mesurée de la vie pour tremplin, ce Peuple a introduit la brutalité démesurée dans le monde. Il a balayé la tendresse, s'est dégagé de la sensibilité, il a répandu la vulgarité, la grossièreté.

Ce ne sont plus quelques arbres qui sont balayés par la tempête, mais des forêts entières qui sont abattues sous la pression des machines. Ce sont des continents qui sont promis aux déserts, pour des épousailles inavouables qui ne sont plus très lointaines. Ce ne sont plus quelques méfaits locaux qui rongent le sourire de la Terre, mais des crimes contre la vie qui suivent les grands courants magnétiques des fleuves et des vents, s'étendent en nappes de proche en proche, sans se soucier des frontières naturelles ou artificielles.

Ce ne sont plus quelques représentants d'une espèce animale, dont le destin croise la trajectoire de la faim, de la soif, du froid ou de la sécheresse, mais ce sont des espèces entières, des constellations animales qui s'éteignent dans un ciel devenu noir et abandonné.

Ce qui me surprend, Klaanah, ce ne sont pas tellement les insensés qui assassinent la Terre. C'est l'ensemble de ce Peuple qui regarde cette marée dévastatrice sans protester et qui se moque de ceux qui sont scandalisés.

Je n'ai pas encore reconnu la graine qui, en germant, fait éclore une telle indifférence.

*
* *

L'enfant hurlait dans la nuit. Les larmes de la Terre ruisselant sur son corps nu, l'enfant hurlait dans la nuit.

Lettre n° 59

« Ne mets pas de tête au-dessus de la tienne » (1)

Le fifre le proclame :
« Il n'y a pas de " grands ", il n'y a pas de " petits ".

« A l'abri derrière leurs masques, comme dans les remparts d'une place forte, ils jouent des rôles puérils qu'ils magnifient ; ils disposent, sur l'échiquier de la Citadelle, des pions insignifiants qu'ils s'amusent à mépriser parce que c'est la coutume, et des pièces maîtresses devant lesquelles certains se prosternent, parce que c'est l'habitude.

« L'échiquier est le même depuis la première Cité, apparue il y a quelques millénaires. Les pièces ont été vêtues de bien des manières, mais leur compartimentation est restée identique.

« Les seigneurs du pouvoir, les seigneurs de la guerre, les seigneurs de la prière sont rassemblés sur un plateau de la balance, et la foule des pions entassée sur l'autre plateau. Par leur travail et leur soumission, ceux qui se disent et se croient " petits ", entretiennent et enrichissent ceux qui se prétendent " grands ". Cela, c'est l'humour de la Citadelle. »

Le fifre le proclame :
« Il n'y a pas de " grands ", il n'y a pas de " petits ".

« Cette invention du Temps du Père a pesé sur ce Peuple et a barbouillé méchamment la fresque de son existence et de son Histoire.

« Il n'y a pas de " petits ", il n'y a pas de " grands ".

« La mesure, à la porte de l'existence, est la même pour chacun ; pour chacun des hommes, des femmes de ce Peuple, pour chacun de tous les règnes naturels enfantés par la Terre.

« La mesure a été la même jusqu'à ce que ce Peuple ait bouleversé le jeu de la vie et ait introduit des valeurs perverses, des liens désaccordés, là où devait s'exprimer la solidarité. »

---

1. Lin-Tsi.

Le fifre le proclame :

« Depuis le vaisseau des jours à venir, là où l'image du Père se sera envolée avec les vents du passé, une vague de mutuelle accordance glissera sur les étendues des nouvelles compréhensions. »

*
* *

Lettre n° 60

Une vraie saloperie

Ce matin-là, M. X... s'habilla avec une recherche toute particulière. Il avait rendez-vous avec le chef du Gouvernement pour recevoir de l'État une commande importante.

Soudain, il hurla : « Une mite ! Il y a une mite dans mes affaires... »

Ce fut immédiatement le branle-bas de combat général. On ne sonna pas le clairon, mais le résultat fut le même.

Madame, aux avant-postes, cria à l'adresse de la bonne espagnole : « Natividad, apportez le pesticide ! »

Comme dans une course de relais, le fils reçut le récipient des mains de la bonne et courut le remettre à son père.

Celui-ci, immobile, à l'affût, lorgnait la mite qui, installée dans un gilet de laine, prenait tranquillement son repas, indifférente à ce remue-ménage.

Alors, avec un sang-froid admirable, des gestes mesurés, visant soigneusement, le père dirigea le jet droit sur la mite :

« Une vraie saloperie, cette bestiole. Ça détruit tout. »

Satisfait, il alla à son rendez-vous.

Il fabriquait des missiles sol-sol à têtes nucléaires chercheuses (MS/S TNC).

*
* *

Lettre n° 61

J'ai dansé avec la Terre

J'ai entendu un grand éclat de rire qui se répercutait de colline en colline et d'un continent à l'autre.

C'était la joie de tous ceux qui avaient compris la puérilité de se croire au-dessus de quoi que ce soit, alors que dans le livret de la vie, êtres et choses, choses et êtres sont étroitement enlacés dans le même pas de danse, n'étant plus ni êtres ni choses, ni choses ni êtres, mais l'embrasement inépuisable de la vie.

*
* *

Lettre n° 62

La ronde des gènes imaginaires

Toutes racines coupées, le Peuple dérive comme une épave sur la guirlande des siècles.

« Le Peuple, déraciné, m'a raconté le vieil homme, a construit un monde à lui, inventé, imaginé par lui, dans un pays étranger à la Terre.

« Pour se protéger de son angoisse, il a édifié une Citadelle aux murs énormes, dans laquelle, en même temps que lui-même, il a enfermé ses peurs, sans espoir de pouvoir s'en débarrasser ou de les voir partir, toutes les issues étant fermées. Alors, de nouvelles peurs, sécrétées par la Citadelle, sont venues s'ajouter, augmentant de leur poids écrasant la détresse de ce malheureux Peuple.

« La sève, issue de l'Origine, ne montant plus depuis que les racines sont coupées, le Peuple avance dans les dimensions d'un désert mental. Dans ce désert ont été installées des bornes le long des chemins nouvellement tracés menant aux édifices institutionnels. Des lois, des décrets, des règlements ont balisé l'espace de la Citadelle.

« Et chacun marche, poussé en avant par les forces annihilantes de la démission, par des mécanismes échafaudés il y a des millénaires, tournant en rond, indéfiniment, dans les couloirs d'acier de son labyrinthe mental, reproduisant sans cesse les mêmes gestes, dans le cadre d'attitudes, de comportements identiques, allant en rang, en foule, au pas, obéissant aux ordres clamés par les chefs, au son des hymnes à la liberté, fier d'être quelque chose à défaut d'être quelqu'un, et convaincu que ce serait pire s'il n'était rien du tout. Jusqu'à ce qu'il arrive au fond du labyrinthe, et qu'empêtré dans les fils qui le mouvaient et qui, usés, se rompent, il s'aperçoive qu'il n'a été qu'un pantin. »

Après s'être arrêté un long moment, le vieil homme poursuivit, comme se parlant à lui-même, car je crois qu'il avait oublié ma présence :

« Ce Peuple, égaré dans son désert, n'a eu pour histoire que les tracés indécis, marqués dans le sable, de quelques ombres folles, dont il a fait des rois, des seigneurs, des maîtres, des dieux. Le vent soulève le sable des dunes, efface les traces, et que reste-t-il de ces enfantillages ?

« Au fond, ce Peuple n'est jamais né. Il n'a jamais vécu autrement que dans sa maladie car, s'enfermer dans un monde imaginaire, n'est-ce pas une maladie ? »

*
* *

Lettre n° 63

Les joncs ondulaient doucement...

Les joncs ondulaient doucement sur la dune.

Dans le ciel, des mouettes planaient en silence. Les vagues venaient s'éteindre les unes après les autres, dans un murmure apaisé.

Je marchais dans le monde d'un autre monde. Il me semblait être loin de la Terre, loin dans un rêve. Loin de la Terre mutilée. Mais j'étais pourtant sur la Terre, au milieu des jeux de la Terre, et loin, si loin du Peuple du Pays de l'Envers !

Les touffes, d'un élan jeune et sauvage,
ébouriffé et bouillonnant,
couvrent les espaces vierges,
dans la promesse d'un parler adulte
pour les matins d'un autre Temps.

Lettre n° 64

Et si le printemps ne revenait pas ?

Je regarde un arbuste. Tous ses bourgeons, d'un même élan, s'entrouvrent. De minuscules feuilles apparaissent. Tous les arbustes qui parsèment la colline, à l'écoute d'un signe cosmique, se réveillent et s'engagent ensemble dans la voie de leur renaissance. Sur chacun ce sont les mêmes feuilles. C'est un spectacle qui paraît tout simple mais qui est orchestré par des forces venues des entrailles de la Terre et du ciel, dont ce Peuple ne sait rien et qui ne s'émerveille même pas.

Et pourtant, si le printemps ne revenait pas ? Si le printemps ne revenait pas, de quel poids seraient les problèmes de ce Peuple ? Si la mécanique silencieuse s'arrêtait ? Si les arbres restaient nus, dressés sur une terre endormie, de quelle importance seraient les problèmes de ce Peuple ?

Si la planète changeait de trajectoire, glissait sur une autre orbite, si les pôles basculaient et que des raz de marée balayaient le Pays de l'Envers, que resterait-il des problèmes de ce Peuple ?

Combien, parmi les conflits alimentés, couvés, choyés amoureusement, s'éteindraient si le printemps ne revenait pas ?

Parce que le printemps s'annonce et naît un jour convenu, sans qu'il soit nécessaire de s'en préoccuper, le Peuple s'offre une panoplie de problèmes qui le distraient et l'accablent.

Mais si le printemps ne revenait pas, ces problèmes deviendraient aussi légers que le duvet d'un oisillon, et ils s'envoleraient sous le souffle de la plongée de la Terre dans un sommeil sans fin.

Lettre n° 65

La paille venue des étoiles

Le fifre le recommande :
« Installez l'existence dans de nouveaux décors ;
« Brûlez tout ce que vous trouverez dans les coulisses ;
« Prenez de la toile, votre pinceau et les couleurs de l'arc-en-ciel pour peindre les tableaux du Renouveau ;
« Arrêtez les horloges disséminées un peu partout ;
« Cessez de mouler vos mouvements dans le creuset des heures moroses égrenées par la Citadelle ;
« Réglez les horloges des Temps de la Reconquête sur les rythmes cosmiques ;
« Éparpillez la paille de votre nid qui vous emprisonne ;
« Avec les épis de l'avenir, élaborez un autre nid, propice aux moissons d'un accomplissement trop longtemps oublié.
« Pour qu'ainsi, au conseil d'un sage : " *Soyez dans le monde mais ne soyez pas du monde* (1) ", lorsque l'horloge sera remontée, le nid reconstruit, les fresques de l'existence repeintes, on pourra enfin donner le conseil épanouissant : " *Soyez dans le monde et du monde* ". »

*
*   *

Lettre n° 66

De la fumée comme héritage

De petits nuages, tristes et inconsistants, passaient dans le ciel.
Ce n'étaient pas ces nuages impressionnants, enfantés par la Terre, témoins de ses jeux et de ses humeurs, qui avancent avec majesté, lents et solennels, porteurs de pluie et de renouveau, ou

---

1. Ramakrishna.

ces nuages en colère, échevelés, déchiquetés, roulant les uns par-dessus les autres, prometteurs de tempêtes et de désolation.

Les petits nuages, eux, étaient à peine visibles. D'ailleurs, personne ne s'inquiétait de leur passage. C'étaient des nuages de cendres, de poussières impalpables, dérivant sans but et sans objet.

Ces nuages, il y a longtemps, avaient été enfantés par le Peuple : ils représentaient tout ce qu'il restait des civilisations passées, écroulées, pulvérisées, perdues quelque part sur des trajectoires oubliées.

Ces civilisations avaient été autant de dessins tracés sur la toile du Temps, chacun d'une facture originale en apparence, mais émanant tous d'une même inspiration. Si bien que les civilisations, différentes en surface et par le langage, les coutumes et les couleurs, ont eu, en réalité, les mêmes rictus, des axes directeurs de pensée identiques et ont été de la même race : celle qui a toujours distingué dans le Peuple ceux qui sont en haut, ceux qui portent les privilèges sculptés dans leur regard, et ceux qui sont relégués dans les sous-sols de la Citadelle, ceux qui s'arrogent le droit à la violence et ceux qui sont écrasés sous le poids de conflits qui leur sont étrangers.

Si, là-bas, au levant des pensées, une nouvelle civilisation se prépare, il appartiendra à ses créateurs de ne pas suivre les pas de leurs prédécesseurs, dans les bourbiers du passé, mais de marquer leurs empreintes dans un sol d'idées et de déterminations vierges.

*
*   *

Lettre n° 67

Les vagues du malheur encerclent la Terre

Klaanah, je suis fatigué de me pencher sur ceux qui souffrent, sur ceux qui vont mourir.

Je ne puis répondre à cette avalanche de misères, à ces appels au secours des humains, des animaux, des plantes, de la Terre en perdition.

Où que j'aille, de jour, de nuit, quels que soient le temps, la saison, le lieu, une désolation se dresse devant moi, écrasante.

Si j'écris ce que je croise, ce que je vois, ce qui me foudroie ici et là, quel sens cela pourra-t-il avoir pour vous, si tout cela est étranger à notre monde, à notre pensée, à notre existence ?

Et pourtant, j'ai été envoyé sur cette Terre et c'est sans doute avec une intention délibérée qu'il m'appartient de respecter. Mais c'est une lourde tâche pour moi que d'être ainsi enfermé dans les territoires de la douleur.

A la rigueur, si cette affliction, sécrétée par tous les pores de l'existence sur cette planète, avait un sens apparent, bien évident, cela serait peut-être supportable. Mais la pluie des malheurs tombe sur la Terre et fertilise l'incompréhension, la désorientation, l'accablement. Alors, quel enseignement peut-il résulter d'une aventure réalisée dans de telles ténèbres ? Que peut-on éprouver sinon l'amertume et le désespoir ?

Je regarde ici et je vois un enfant de quelques mois dont on pourrait dessiner le squelette sous sa peau. Il est dans les bras de sa mère. Il a la bouche ouverte, un peu tordue par l'effort douloureux de respirer et de durer encore le temps de quelques soupirs.

Ses yeux grands ouverts reflètent l'horreur devant la pesée des souffrances et une interrogation poignante posée par tout son être à sa mère, à son père, à la Terre et sans doute aux dieux.

Cet enfant, ce nourrisson est en train de mourir de faim sur un sol qui l'a précédé dans la mort et, parce que mort, attire à lui dans la même infortune tous ceux qu'en fait il devrait nourrir.

La Terre le crie : « Comment puis-je apporter la vie à ceux qui me sont confiés, si les hommes récoltent les déserts qu'ils ont semés, en laissant un grand corps nu là où je leur avais offert des forêts ?

« Cet enfant meurt de faim, c'est vrai. Pourtant l'eau est sous les pieds de sa mère. L'eau attend simplement qu'on la sollicite. J'ai mis en place son lit et il suffit de se pencher sur elle pour qu'elle jaillisse et coule et m'abreuve et irrigue. Je suis prête, je suis toujours prête pour nourrir mes enfants.

« Que puis-je si ce Peuple est plus avide de disputes, de conflits, de guerres, de chamailleries de toutes sortes, que de me caresser et de m'aider à lui témoigner l'amour que j'éprouve pour lui ?

« Comment exprimer cette affection si ce Peuple s'épuise dans des entreprises meurtrières, plutôt que de me prendre par la main et d'ainsi reverdir les sols inertes et craquelés ?

« Cette mère est debout avec son enfant qui meurt. Mais elle est allée trop loin, dans les brumes d'une existence inhumaine, pour être en mesure de se révolter ou seulement de pleurer.

« Elle le porte dans ses bras, selon une attitude coutumière propre aux mères qui tiennent leur enfant après qu'il ait reçu sa nourriture. Celui-ci, cependant, n'a avalé que le sable des dunes. »

Ailleurs, c'est un enchevêtrement de visions qui ne sont pas de la Terre, des visions terribles qui ne sont pas de l'univers, qui ne sont d'aucune des planètes que j'ai visitées, qui ne sont éclairées par aucun des soleils que j'ai croisés.

Quel être monstrueux a pu imaginer de telles outrances dans l'horreur, accrocher d'aussi effrayantes divagations sur la panoplie de la férocité et de la cruauté ?

Un appareil comptait. Chaque seconde, il comptait jusqu'à dix. Et ainsi sans répit, sans jamais s'arrêter. Des jours entiers, les nuits également.

Il comptait jusqu'à dix chaque seconde. Au terme de chaque minute il arrivait à 600, à 36 000 à l'heure, plus de 800 000 par jour, trois cent millions au bout de l'année.

Ce sont trois cent millions d'animaux qui meurent chaque année dans des antres affreux. Toutes les espèces animales franchissent les portes de ces enfers redoutables.

Volés dans les rues, traqués dans leurs lieux d'origine, ou élevés dans l'intention de leur réserver une existence de prisonniers, ils sont enfermés dans des cages, avec leur détresse pour seule compagne.

Ils sont là dans le quartier des condamnés, maintenus dans une situation de non-défense absolue, n'ayant d'autre ouverture vers l'avenir que la torture et la mort.

Tout est blanc en ces lieux : les murs, les blouses des officiants. Seule l'âme de ces Grands Maîtres ès lâcheté est noire.

Klaanah, si je te dis ce que l'on pratique dans ces cellules maudites, le croiras-tu ? Ceux à qui j'adresse mes rapports ne vont-ils pas me croire fou d'écrire de telles abominations ?

Ainsi, par exemple, j'ai vu ces petits macaques, de très petits singes, enfermés dans des réduits obscurs, sans fenêtre, depuis des années. Comme si c'était naturel.

J'allais et, dans leurs cages, ils me regardaient, implorants, angoissés, secouant violemment leurs barreaux et criant : « Mais ouvre cette porte. Ouvre cette foutue porte, que je sorte et que je puisse courir et jouer dans les arbres. »

Et la Terre criait avec eux. Attéré, désespéré, je me couvrais le visage, à l'écoute d'un signe venu des tréfonds de mon être, du plus loin des espaces, d'un ordre qui m'aurait libéré de mon impuissance, de l'incapacité où je me trouvais d'ouvrir ces cages. Je sentais que je devais faire le geste, mais j'étais paralysé.

Qu'aurais-je pu faire de toutes ces petites bêtes ? Que seraient-elles devenues ? Aussitôt, toutes les forces de la Citadelle se seraient liguées contre elles, les auraient traquées, tuées peut-être.

Et alors ?

Tout, ici, protège ceux qui tuent, ceux qui torturent et qui dévastent, au nom de quoi que ce soit, au nom de n'importe quoi.

Klaanah ! Il semble si facile de répandre la douceur. Oui, si facile, me diras-tu. Seulement, ici, les chemins qui y conduisent sont interdits par les gendarmes, les soldats, les policiers. Celui qui tentera de s'opposer à ces sévices innommables sera méprisé, insulté et frappé. S'il n'est pas emprisonné.

La Terre le criait : « Parmi ces malheureux, certains sont nés ici, dans l'obscurité. Ils n'ont jamais vu le soleil, ne se sont jamais approché d'un arbre, n'ont jamais respiré mon odeur. Alors, mon ami, que vas-tu faire pour ces animaux ? »

Oui, mais dois-je aussi ouvrir les cellules des hommes, des femmes, enfermés dans l'obscurité, dans une condition identique à celle des petits macaques ? Les singes ne sortaient de leurs cages que pour être immobilisés dans des appareils de contention. Là, dans une ambiance de terreur, toutes sortes d'actes leur sont infligés.

La mort, les tortures imposées par des hommes sont toujours intolérables. Mais les morts, les tortures qui prétendent être réalisées au nom du bien de ce Peuple sont les plus sordides. Est-il possible que la santé de ces gens, qui ne font d'ailleurs pas grand-chose pour la conserver ou la retrouver naturellement, exige autant d'atrocités ? Animaux que l'on tue par le froid ou par la soif, que l'on rend fous d'angoisse, que l'on fait fumer, boire de l'alcool, à qui l'on greffe n'importe quoi n'importe où, à qui l'on provoque des convulsions, des plaies, des fractures, des cancers, des maladies qui leur sont étrangères, des sections de la moelle épinière, que l'on écrase à grande vitesse contre des murs en béton, à qui l'on introduit des sondes dans les vaisseaux, des appareils dans le cerveau !

Elle était jolie cette jeune femme. Son visage était doux, ses mains fines. Je la regardais avec un léger sourire pour la remercier du moment agréable qu'elle m'offrait en la regardant. C'est alors qu'elle saisit une souris, mignonne et toute blanche. Elle tint sa tête entre deux doigts. Les petites pattes de la souris s'agitaient. Prenant une paire de ciseaux, la jeune femme trancha le cou de la souris, la décapitant net.

Pendant qu'elle lui ouvrait le ventre, j'étais fasciné par la bouche minuscule, qui s'ouvrait et se fermait spasmodiquement.

Elle s'ouvrit une dernière fois et tout fut terminé. Voilà.

Dans sa cage, il y avait deux petites crottes. Rien de plus que ce qu'il restait de son passage dans l'existence...

La Terre le crie : « Tout cela n'est pas de mon sang ni de ma chair. Qui me délivrera de ces cauchemars insensés qui m'ensanglantent ? »

Il y a bien longtemps, un lettré qui a eu la malchance de donner son nom pour définir des imbéciles qui ne croient qu'en ce qu'ils voient, ce qui laisse de larges étendues où ils ne pénètrent jamais, déclara que les animaux sont des machines.

Depuis, bien des gens ont cru intelligent d'affirmer que les animaux n'étaient pas des machines mais des êtres sensibles ! A tort, évidemment. Chaque époque laisse s'arboriser telle ou telle idée dans le ciel des croyances. Jusqu'à ce que le Progrès rétablisse les faits à leurs dimensions véridiques.

Maintenant, grâce à la science, à diverses technologies, dont l'informatique, la bureautique, le marketing et autres merveilles, on sait que les animaux sont effectivement des machines.

Ainsi, m'a expliqué le vieil homme : « Prenez une poule. Coupez-lui le bec. Immobilisez-la sur une surface inférieure à celle d'une feuille de papier. Faites en sorte qu'elle ne voit jamais la lumière naturelle, qu'elle reçoive uniquement une nourriture artificielle, que pendant son année d'existence elle ne puisse faire un pas, qu'elle ne touche jamais le sol et qu'ainsi elle devienne folle, perde toutes ses plumes, mais ponde, ponde, devienne une machine incorporée dans une unité de production industrielle d'œufs programmés, standardisés, calibrés, pondus à la chaîne, à une cadence réglée par un système d'horlogerie informatisé, jusqu'à ce qu'épuisée, moribonde, déplumée, hébétée, usée, malade, intoxiquée, pondant au-dessous des normes de rentabilité, elle soit ramassée, conduite dans un abattoir industriel et transformée en bouillon de poule en sachet. »

Le vieil homme m'expliqua que les conditions de prétendus « élevages » des veaux, des porcs, des bœufs, des poulets sont réalisés selon le même esprit, les mêmes méthodes, une identique sauvagerie.

Machines à pondre. Machines à fabriquer de la « viande ». Machines qui mangent ces œufs et cette viande. Folie des animaux incarcérés. Folie des individus ignobles qui les maltraitent. Folie des foules qui s'en nourrissent...

« *Ainsi va le monde, et l'on peut dire qu'il va mal* », remarquait mélancoliquement un poète, enfermé dans une cellule de prison (1). « Ainsi va le monde, et l'on peut dire qu'il ne va plus du tout », pensent sans doute les malheureux animaux. « Ainsi va le monde », disent les foules, qui ne font rien pour qu'il aille mieux.

Et les femmes et les hommes ? Ils ne sont extraits de leurs cellules que pour être torturés, soumis à des brutalités impensables dont je te fais grâce. Avec, à leur côté, un médecin vigilant, présent non pour les réconforter, les défendre, mais pour arrêter la séance avant qu'ils ne meurent. Pour, après quelques jours, pouvoir recommencer...

---

1. Silvio Pellico, *Mes prisons* (*Le Mie Prigioni*, 1832).

Quelque besogne dont il s'agisse, aussi répugnante soit-elle, on trouvera toujours des hommes pour l'exécuter.

Il est sûr que ces hommes, ces femmes, ces animaux doivent être libérés d'une façon ou d'une autre. Car je crois vraiment qu'aucune survie pour ce Peuple ne sera possible si les portes de ces cellules et de ces cages ne sont pas ouvertes.

Quels sont ces corps décharnés qui errent sur la Terre ? Aveugles, défigurés, malades, infirmes, moribonds. Quel ouragan est passé par ici ?

Qui sont ces paralytiques qui couvrent des vallées entières ? Et pourquoi ceux qui restent debout vomissent-ils, jusqu'à ce qu'ils s'écroulent ? Quel cataclysme a broyé ces femmes, ces enfants, ces hommes ?

La maladie, la mort sont sorties par des cheminées. Pour tuer l'herbe, on tue l'homme ; pour récolter davantage, on tue la Terre ; pour décimer les parasites, on empoisonne des populations entières.

Dans les temps passés, la mort arrivait, parée pour la grande cérémonie. On la voyait venir au bout du chemin. Selon son humeur, selon celui ou celle qu'elle venait chercher, elle tendait une main apaisante et salvatrice, ou elle frappait avec colère. Mais on la voyait. On pouvait dialoguer avec elle, l'adoucir parfois.

Maintenant la mort a revêtu une autre parure. Elle se déchaîne subitement ou elle s'insinue sans bruit, invisible, secrète, sans se manifester d'aucune manière, détruisant de proche en proche, grignotant la vie peu à peu, dans les franges de l'occulte, jusqu'à ce qu'un jour l'organisme saccagé, s'émiette, tombe en poussière.

La chimie est la peste noire de ce temps sans retenue.

Et il y a pire, il y a encore plus insidieux qu'elle. Des forces venues de l'atome, du cœur de la matière. Ce cœur, on l'isole et on le fait battre hors de son corps ou on le garde en sommeil. C'est alors qu'il représente dans les deux cas un danger mortel, soit qu'il ait été enfermé dans une bombe, soit qu'il anime un centre producteur d'énergie.

La mort est déconcertée. Elle n'aime pas attaquer aussi sournoisement. N'est-elle pas la compagne de la vie ?

Certes, elle n'a pas ménagé les catastrophes. Ce sont des accès d'irritation, en réponse à l'attitude de ce Peuple qui abuse d'elle, la provoque, la nargue, veut la dominer et décide pour elle qui doit mourir et comment. Tout cela l'énerve et elle le fait savoir.

Donner la mort est un acte grave qu'elle ne décide qu'au terme d'un dialogue avec la vie. Mais ce Peuple s'est permis de pénétrer dans ce domaine interdit et de perturber un ordre naturel pour lui substituer ses propres manières de tuer, de massacrer, de dévaster.

La Terre le crie : « Autant de souffrances accumulées retomberont, doivent retomber en pluies dévastatrices que je ne pourrai contrôler.

« Femmes, qu'avez-vous donc dans le ventre pour fabriquer tant de monstres ? A moins que ce ne soit la semence de vos compagnons qui soit pourrie ? »

Klaanah, n'est-il pas curieux que dans les univers habités, cette planète soit le témoin et la victime des plus sinistres méfaits contre la vie ?

*
*   *

Lettre n° 68

La Terre, cette nuit, s'est couverte de neige

Elle s'est couverte de neige comme pour cacher sa détresse, tels ces enfants qui se couvrent les yeux, croyant ainsi ne pas être vus.

Je suis allé vers elle et je lui ai demandé :

— Pourquoi te caches-tu ainsi ? Pourquoi serais-tu honteuse d'être malade ? Plutôt que de pleurer, qu'attends-tu pour te fâcher ? Quelques accès de colère apprendraient à ce Peuple qu'il est temps pour lui de se ressaisir. Pourquoi caches-tu ta face, alors que c'est toi qui es assassinée ?

*
*   *

Lettre n° 69

Des mots sauvages pour de nouveaux espaces

La Terre le demande : « Qui fera entendre la Parole vivante ? »

« Ce Peuple parle trop.

« Ses mots ont la saveur des poisons et la consistance d'un linceul qui m'enveloppe et m'étouffe.

« Jour après jour, une maille à l'endroit, une maille à l'envers, le Peuple tricote une écharpe de mots qui s'enroule autour de moi, m'emprisonne et me fera périr.

« Des flocons de mots voltigent dans tous les sens, se déposent sur les sols fertiles, les brûlent et laissent des plaies.

« Quelle jouissance ce Peuple éprouve-t-il à s'étourdir en empilant des mots, comme ces jeux d'enfants qui s'écroulent dès qu'on les regarde ?

« Chacun parle ici. D'abondance. Chacun, ici, sait tout et démolit tout ce qu'en fait il ignore. Et il y a les porte-pensée de ce Peuple qui parlent encore davantage. Je les regarde, je les écoute et je m'étonne. Ils vont et viennent, la tête enturbannée de mots qui, en toutes occasions, s'enchevêtrent, se bousculent comme un troupeau au sortir d'un corral. Mais un troupeau est un troupeau, alors que les mots de ces professionnels, des mots creux, éclatent en gerbes dont la couleur est à l'opposé de ce qu'ils pensent et dont le sens est étranger à ce qu'ils veulent exprimer.

« Qui arrêtera ce torrent qui coule comme une maladie dans les artères d'un corps infecté ?

« Qui fera taire le vacarme de ces mots qui polluent l'âme de ce Peuple ?

« Qui fera entendre la Parole vivante, celle qui jaillit du Silence ?

« Les mots ont leur berceau dans les quatre dimensions de l'espace et du temps. Ils sont fécondés dans cette cinquième dimension qu'est le cerveau et ses pensées.

« Tous ces mots, même les mots nouveaux-nés, même s'ils sont auréolés par un semblant d'esprit, restent parqués dans la prison verbale et conservent, finalement, les mêmes intonations, les

Les libellules butinent les remous de l'eau dansante,
Les arbres improvisent les sonates du silence.

mêmes inflexions vers le mensonge, la distorsion de la réalité, le déguisement de la pensée.

« Ces mots, engendrés dans les brumes de la Citadelle, sont cloués sur une partition aussi rigide qu'une plaque d'acier. Ils ne tolèrent aucun vide entre eux, aucun espace libre pour laisser s'ébattre les jeunes mots sauvages. Les phrases sont enchevêtrées et ligaturées comme les poutres d'un échafaudage. Elles ont autant de possibilité de gambader dans les pelouses de la pensée qu'un cheval, attaché à la mangeoire de son écurie, en posséderait pour galoper. C'est un parler mort, enveloppé dans les bandelettes de l'embaumement d'un mental sclérosé. »

Alors, le fifre le demande :
« Détachez le cheval. Laissez les jeunes mots sauvages sortir de l'écurie et courir dans les avenues de l'improvisation, tout au long de la partition de la Parole vivante.

« Et que les chevaliers de la Reconquête puissent composer des rondes originales, en laissant couler les notes au rythme du murmure qui monte des racines du monde, des racines de l'homme, de la dimension transcendante de tout ce qui existe.

« Que cela soit entendu. La survie de ce Peuple en dépend. »
Et le fifre se tut.

*
*   *

L'enfant hurlait dans la nuit. Agité de tremblements convulsifs, claquant des dents, l'enfant hurlait dans la nuit.

Lettre n° 70

L'ombre d'un arbre est indestructible

L'arbre était couché par terre.
Je me suis étendu à ses côtés.
L'arbre était couché par terre et son âme s'écoulait goutte à goutte dans mes mains réunies.
L'arbre était couché par terre et il respirait encore. Il avait été abattu et abandonné là par un homme qui ne savait même pas pourquoi il l'avait assassiné.
On lui avait dit :
— Abats cet arbre !
Alors, il l'avait abattu.
Et maintenant l'arbre était couché par terre et il agonisait. J'entendais son cœur qui battait, irrégulier, faible, hésitant.
L'arbre était couché par terre et il me regardait.
Je voulais lui dire combien je l'aimais, mais comment m'aurait-il cru, lui qui avait été agressé, comme cela, tout à coup ?
Il était pourtant beau, dressé ici, un œil tourné vers le ciel, l'autre vers la terre.
Il était pourtant généreux, offrant son ombre à ceux qui passaient, laissant l'oiseau y construire sa maison, couver ses petits, et toujours présent aux rendez-vous du printemps.
Il était pourtant réconfortant, exprimant dans un langage pétri en pleine pâte de l'éternité, les strophes limpides et toutes simples de la sérénité assumée.
Il était pourtant attentif aux plaintes de ceux qui venaient vers lui. S'ils savaient l'écouter, ils repartaient tenant dans leurs mains une gerbe lourde de toutes les graines de la sagesse.
L'arbre était couché par terre. Il ne respirait presque plus. Nous étions côte à côte, lui en train de mourir et moi l'accompagnant, tous deux allant dans un chemin dont nous ne savions rien.
Et, lorsqu'il cessa de respirer, je lui dis simplement, en embrassant son tronc : — Au revoir, mon ami...
Et je vis sa Mère, la Terre, l'enlacer tendrement et le reconduire dans sa Maison.

Lettre n° 71

Une réalité qui est aussi symbole

Qui, de ce Peuple, sera aussi intelligent qu'un brin d'herbe ?

L'oiseau, sur le chemin de sa migration sait où il va. Mais ce Peuple le sait-il ? Le brin d'herbe, que j'effleure de mes doigts et qui semble immobile, trace lui aussi la route de son voyage.

Tout être ici, dans le Pays de l'Envers, comme partout ailleurs, est embarqué dans cette Grande Envolée qu'est l'existence. L'oiseau le sait, le brin d'herbe également, les galaxies le savent aussi. Seul ce Peuple l'ignore.

Car pour lui, la vie c'est ce qui existe dans la Citadelle. Le Peuple a remplacé le feu d'artifice de la vie par le feu d'artifice de ses inventions, de ses conventions, de ses valeurs en lesquelles, dans l'univers, il est le seul à croire.

A la réalité du monde, il a substitué une réalité imaginaire, dans l'enceinte de laquelle il s'est enfermé.

Je regarde ce Peuple et je contemple ce brin d'herbe. Le premier n'est à l'écoute que de lui-même, le second reçoit le message venu du ciel et de la Terre. Il sait comment lui répondre dans son langage de brin d'herbe, langage cosmique que ce Peuple n'entend pas.

Si, être intelligent, dans sa signification authentique et la plus profonde, c'est vivre selon sa Loi, en communion avec tout ce qui existe, où l'intelligence est-elle présente dans la Citadelle ? Pourtant c'est bien dans cette émouvante simplicité du brin d'herbe que se situe l'énoncé d'une survie sur la Terre.

*
* *

Lettre n° 72

Les vautours planaient...

... et décrivaient de larges cercles. Inlassablement. Ils attendaient.

Mais qu'attendaient-ils ?

La Terre vint auprès de moi.

— Tu te demandes ce qu'ils font ?

— Oui...

— Ils attendent leur nourriture. Au-dessous d'eux se trouve un lieu de rencontre des hommes. Ils savent que lorsque des hommes se rencontrent, il reste toujours quelques cadavres à dévorer...

*
* *

Lettre n° 73

Sous la bannière de la crédulité

« Les braves gens », disait le bonhomme, en comptant les sous. Comme un certain roi qui avait dit la même chose en regardant ses soldats s'étriper avec les soldats d'une autre nation, sans que personne, à commencer par le roi, ne sût pourquoi il y avait la guerre.

« Les braves gens », disait le bonhomme, comme il eut dit : « Les braves cons... » Il comptait les sous ramassés au cours de la récente campagne de mendicité nationale en faveur de la *Recherche*. Ses copains, les *chercheurs*, allaient être bien contents, car la moisson, cette année, avait été vraiment bonne. « Donnez pour la Recherche ! » ; « La Recherche médicale, c'est le soleil levant de la santé ! » ; « La Recherche... », « La Recherche... », « La Recherche... ». Partout, sur les murs, dans les journaux, dans les revues, à la radio et à la télévision, dans les boîtes à lettres. Partout : par affiches, par des articles, par des lettres. Matraquage. Matraquage. Matraquage.

La Terre et moi marchions côte à côte, au bord d'un lac aux eaux calmes, troubles et polluées.

La Terre me disait : « Vois-tu, mon ami, les gens sont tellement crédules que cela en devient risible, alors qu'au fond c'est assez tragique, parce que, en fin de compte, on les manipule comme des pantins.

« La Recherche médicale ! Chaque époque a possédé, choyé ses mots sacrés. Ce Peuple a toujours réclamé des images sublimées, même si par ailleurs il piétinait le sacré comme s'il se fut agi d'une serpillière...

« La *Recherche* ! C'est la lumière descendue du ciel sur la Terre. C'est Dieu installé dans ces nouvelles cathédrales que sont les laboratoires où s'opèrent de prodigieux miracles. Que serait ce malheureux Peuple sans la *Recherche médicale ?* Avant, on mourait on ne savait trop pourquoi ni de quoi. Maintenant, on meurt scientifiquement.

« Une terrible maladie s'est abattue partout, rongeant les hommes, les femmes, les enfants, semant les morts et la panique. C'est alors que la nouvelle religion a fait entendre sa voix apaisante sur les foules affolées : " Nous sommes là. Nous veillons. Nous cherchons et nous trouverons ", susurrent les nouveaux prêtres qui officient en blouse blanche. " Donnez-nous vos sous et nous vous protégerons. "

« Alors, les braves gens, éperdument, envoient leurs sous à ces autres braves gens que sont les chercheurs. Comme cette solidarité est rassurante ! Comme cet amour des *chercheurs* pour le Peuple est réconfortant ! Dans la Citadelle, tout est pourri, ou presque, mais combien joliment, avec quelle délicatesse !

« Depuis quelques dizaines d'années, pour différentes raisons, plus intelligentes et raisonnables les unes que les autres, des pincées de poisons sont ajoutées aux aliments, avec la bénédiction des gouvernements, des instances internationales. Si un grand nombre de ces poisons provoquent la maladie appelée crabopathie, cela ne peut alors être que pour le bien du Peuple.

« Chaque jour, celui-ci reçoit sa ration de poisons ; chaque jour, de nouveaux crabopathes apparaissent et se plaignent de douleurs en tel ou tel organe. Mais la *Recherche* (" Donnez vos sous ! ") est vigilante, paternelle et se penche avec sollicitude sur ces malheureux.

« Pour le Peuple, la *Recherche* est une entité transcendante, qui brille dans le firmament, mais dont le contenu reste impénétrable, comme tout ce qui est sacré. Et comme tout ce qui est sacré, elle exerce sur les foules une fascination qui s'apparente à une sorte de terreur mystique. On dit : *La Recherche*, comme on dit " Dieu ".

« La *Recherche médicale* porte en elle tous les espoirs millénaristes. Les *chercheurs* gloussent ensemble — chœur émouvant — pour promettre tout ce que l'on veut, à la condition de donner des sous, beaucoup de sous, toujours plus de sous, car la vie est chère.

« La crabopathie sera vaincue dans cinq ans ! », assurent-ils tous les ans, depuis 30 ans. Avant chacune de leurs campagnes de mendicité, ils annoncent une découverte miraculeuse contre la crabopathie. Mais, en ajoutant, ensuite, que de nombreuses années de recherches seront encore nécessaires pour la mise au point définitive. Le plus souvent, on n'en entend plus parler.

« N'est-il pas curieux que pour préparer la guerre, l'argent soit disponible, mais que pour la recherche médicale il soit nécessaire de recourir à la mendicité ? Serait-ce que les gouvernements ne croient pas en cette religion ?

« Les pincées quotidiennes de poisons provoquent des *boursouflures,* nom savant utilisé pour définir les terribles lésions provoquées par la crabopathie.

« Des hommes, des femmes, de tous âges, un peu simples sans doute, d'une logique douteuse, défilent dans les rues, organisent des réunions, écrivent dans des revues, et répètent : " Les poisons provoquent des boursouflures. Supprimez les poisons ! "

« En présence d'arguments aussi contestables, les gouvernements se taisent, les gens bien-pensants, qui s'empoisonnent doucement, méthodiquement et sûrement, haussent les épaules ; les savants qui, par profession et définition, savent tout et ignorent délibérément ce qu'ils ne savent pas, sourient en entendant de telles inepties. " Nous sommes là. Nous cherchons des médicaments pour guérir les boursouflures ! "

« Des couloirs en béton, froids, hostiles. Des portes en acier, aux serrures innombrables. Le tout, enfermé dans des murailles aussi hautes que les remparts des forteresses. Au bord des couloirs, des rigoles pour l'écoulement du sang. Des placards partout où est entreposée la détresse. Dans toutes les pièces de torture, des quantités d'instruments pour mesurer la peur et la souffrance.

« Du silence partout. Le silence des charniers. La cheminée du four crématoire laisse échapper une fumée noire qui monte, tranquille et sereine. Les gens passent dans la rue, vont et viennent, pensant à leurs affaires, à leurs soucis, riant ou s'apitoyant sur eux-mêmes. Sur la porte d'acier, un écriteau : *Centre de Recherche. Entrée rigoureusement interdite.*

« La porte s'ouvre cependant pour laisser passer des camionnettes, chargées de chiens, de chats, de singes, de souris. Elle se referme derrière eux avec un grand bruit sec. Dès l'instant où ces animaux ont franchi cette porte, ils sont devenus du *matériel*.

« Le *Centre* se dresse, tel un îlot mystérieux, dans la ville. La vie s'écoule tout autour de lui, le cernant de sa rumeur. Les vagues de la terreur des animaux torturés se brisent contre les parois de béton, ne franchissent jamais le mur d'enceinte. Ainsi elles n'indisposent pas les braves gens de la Citadelle, qui ne feraient pas de mal à une mouche, c'est bien connu. Mais, en donnant leurs sous, ils sont la source même de ce fleuve inépuisable d'animaux assassinés.

« On sait que les crabopathies sont provoquées par les poisons ajoutés à tout ce que touchent les hommes. Alors, plutôt que de supprimer les poisons — cause de chômage — on donne ces mêmes poisons aux animaux en inhalation, dans les aliments, en injection. C'est ainsi que des milliards d'animaux meurent au nom d'une *Logique* sécrétée par un entendement désaccordé.

« Chaque jour apporte son contingent de crabopathes. Chaque jour le Peuple pleure ses morts par les crabopathies. Chaque jour, il absorbe ses poisons et chaque jour des animaux meurent pour rien. »

La Terre et moi avons marché encore un certain temps en silence. Puis elle a dit : « Le soleil se couche. Je vais aller dormir. »

Lettre n° 74

Le karma va son petit bonhomme de chemin

La limpidité a plusieurs visages. Je l'ai rencontrée en maintes circonstances. Je l'ai pleinement vécue avec Lucie, la petite chatte aux yeux détruits par un acide.

Voici maintenant une semaine que nous vivons ensemble. Ses yeux sont propres mais ils sont éteints. Je l'alimente avec un biberon de poupée. A aucun moment, malgré sa souffrance, elle n'a émis une plainte.

Cette gouttelette de vie, couchée là, immobile et silencieuse, non seulement cache sa détresse avec une pudeur émouvante, mais chaque fois que j'entre dans la pièce où elle se trouve, elle ronronne.

Ce ronron est un lien de tendresse tendu entre elle et moi. C'est en de tels instants que la limpidité de la vie et la communion authentique m'apparaissent.

Je m'assieds à côté d'elle et je la caresse doucement. Elle comprend le langage de ma main et les mots seraient superflus.

Elle et moi sommes engagés dans la même interrogation. La Terre est auprès de nous et elle s'interroge elle aussi. Notre pensée s'accorde avec le cri de la Terre.

Pourquoi cette méchanceté ?

Comment comprendre le pourquoi de la misère répandue par cette malfaisance ?

Pourquoi tout n'est-il pas en place pour que tout soit bien ?

Pourquoi les portes du Printemps de l'âme restent-elles fermées chez autant d'hommes et de femmes ?

Ceux qui savent tout répondent :

— L'Évolution suit son chemin. Lentement, mais elle le suit. D'existences en existences successives, la remontée vers la compréhension, vers la lucidité et la sagesse s'opère. Lentement mais sûrement.

Alors, patience... Celui ou celle qui a envoyé la giclée d'acide sur la tête de Lucie, sera, paraît-il, puni dans une existence prochaine. L'ennui c'est qu'il ignorera qu'il est puni. Même s'il s'en doutait, il n'en connaîtrait pas la raison. Ce qui ne saurait être d'un enseignement très profitable.

Celui ou celle qui a commis cet acte sauvage, de toute façon, suit son petit bonhomme de chemin et arrivera un jour à sa bienheureuse destination.

Mais Lucie et moi nous interrogeons. La Terre également.

Pourquoi la porte vers la sagesse n'est-elle pas grande ouverte chez chaque être humain, dès sa naissance, alors que, semble-t-il, elle l'est pour les animaux et pour les plantes ?

Si n'importe quelle petite fleur des talus, si n'importe quel animal vit selon les lois cosmiques et a l'intelligence de garder la mesure au cours des vicissitudes de son existence, pourquoi les humains sont-ils capables d'une telle férocité ?

Des entités supérieures, nous dit-on, veillent sur l'humanité, sur son destin et tiennent une comptabilité karmique bien compliquée. Elles sont censées faciliter son avancée. Pourquoi pas ?

Lucie et moi, la Terre avec nous, serions heureux d'en constater les effets d'une façon objective. Mais il est évident que si cette avancée se réalise sur des millénaires, la giclée d'acide reçue par Lucie devient un épiphénomène sans grande importance et est réduite à la dimension dérisoire d'un incident mineur, dans l'envolée grandiose, mystérieuse, pas très compréhensible ni admissible de cette Évolution qui a pour dénominateur commun, d'existence en existence, de semer le malheur et la stupidité, nés de l'ignorance.

Pourquoi un mécanisme évolutif aussi complexe, alors que la Sagesse nous enseigne la Simplicité ?

Mais, dans cette forêt d'interrogations, de tristesse, d'amertume, de réponses et d'explications incontrôlables, la Terre et moi avons la chance d'être disponibles et présents à un événement actuel et merveilleux : Lucie qui ronronne dans mes bras. Malgré tout...

*
*   *

La limpidité de cet oiseau inscrira-t-elle
un jour son reflet dans le cœur des hommes ?

Lettre n° 75

La tête et les jambes

— Mon mari aime bien la tête de veau, disait une brave dame
à une autre brave dame que je croisais dans la rue.
— Moi, mon mari, ce serait plutôt les pieds de cochon, remarquait l'autre.

Si je t'écris cela, Klaanah, c'est pour que tu comprennes qu'il
m'est difficile de ne pas éprouver une impression d'étrangeté parmi
ces gens...

*
* *

Lettre n° 76

Récompense à qui retrouvera notre dignité

La vigilance est une pierre angulaire de la Reconquête, donc
de la survie.

J'ai appris qu'il y a bien longtemps, bien avant le Temps du
Père, alors que le Temps des Esprits était sur la fin de sa trajectoire,
mais s'exprimait encore avec intensité, la vigilance était rappelée
chaque jour à la conscience de tous par un homme.

C'était un homme quelconque, aussi bien patricien qu'esclave,
selon les circonstances, dont la fonction était de veiller sur le temple
d'une déesse de la fécondité.

Le jour, la nuit, il devait être constamment sur ses gardes, sa
vigilance portant sur son environnement, sur lui-même. Le danger
pouvait survenir de partout : autour de lui, de lui, en lui.

Au moindre relâchement, il pouvait être attaqué. Au moindre
signe de vieillissement, il pouvait être tué. Par n'importe qui. Celui
qui le terrassait prenait sa place, occupait ses fonctions, devenant le
gardien du sanctuaire, détenteur du Rameau d'or.

Le vieil homme qui m'a raconté cette histoire avait poursuivi :
« Vigilance. Vigilance. Vigilance. Cela les Compagnons de la Reconquête le savent : être à l'écoute permanente du monde, de soi-même, de l'autre, pour apporter la réponse adéquate au moment opportun.

« Vigilance. Vigilance. Vigilance. Les Compagnons de la Reconquête l'affirment : ne plus s'en remettre à celui-ci ou à celui-là, dans quelque circonstance de l'existence que ce soit. Refuser de se déresponsabiliser, en concédant des pouvoirs sans condition et sans contrôle à tel ou tel personnage, quel qu'il soit.

« Vigilance. Vigilance. Vigilance. Le Temps des Esprits croyait en son symbole de la vigilance et l'écoutait. Sa survie en dépendait.

« Le Temps du Père lui a substitué l'image de l'orante prosternée et implorante, la réduisant à la dimension redoutable de l'assistance, de la dépendance, de la sujétion. Redoutable, car dissolvante de la volonté, de la responsabilité, de la vigilance.

« Vigilance. Vigilance. Vigilance. Les Compagnons de la Reconquête prennent leurs dispositions pour modifier leur attitude à l'égard du vote. A quoi bon étudier des plans, présenter des propositions, demander des modifications des lois pour obtenir l'interdiction de toute déprédation de la nature, de tous les actes commis contre la vie sous toutes ses formes, si ceux, à qui a été conféré le pouvoir de décision, ne décident rien dans ce sens, mais s'ingénient, au contraire, à protéger, encourager ceux qui massacrent, torturent, détruisent, dévastent, répandent la souffrance, la misère ?

« A quoi bon voter pour des gens qui considèrent la défense de la vie en général comme une marque de naïveté, de puérilisme, propre à des simples, incapables de comprendre que la menace de la mort de la planète doit passer après la recherche obstinée et maniaque du profit, même s'il est dévastateur ?

« Vigilance. Vigilance. Vigilance. Les Compagnons de la Reconquête l'ont décidé. A quoi bon voter si en votant on accède à la retraite civique d'office, si le fait de voter place celui qui vote à la merci de tous ces gens qui n'ont d'autre souci que leur propre avenir politique, et prennent toujours la racaille qui tue et détruit comme unité de mesure de ce monde ?

« Vigilance. Vigilance. Vigilance. Les Compagnons de la Reconquête l'ont décidé. Ils ne voteront plus dans le cadre d'une action politique qui les place en position de sujétion, en état de sollicitation et d'infériorisation. Ils ne voteront plus pour alimenter le jeu haineux, infantile, pitoyable et nocif des partis politiques. Ils voteront pour des hommes, pour des femmes qu'ils savent être eux-mêmes des Compagnons avec lesquels ils seront assurés de pouvoir œuvrer pour le salut de la Terre.

« Si les lois, les normes, les valeurs admises et ceux qui les instituent, les institutionnalisent, conduisent à l'étiolement de la vie, pourquoi ne pas installer des hommes, des femmes qui, dans la foulée du langage et de l'esprit des Compagnons de la Reconquête, aideront à retrouver le visage souriant du monde ? Reconquérir le pouvoir de décision pour récolter les responsabilités et la dignité. »

*
* *

Lettre n° 77

Qui consolera notre mère la Terre ?

Au cœur des nuits froides, j'ai entendu la Terre pleurer. Je l'ai entendue se plaindre de répandre la souffrance et la mort. Je l'écoutais et je m'interrogeais.

J'ai vu la Terre qui se penchait sur tous ceux — hommes, animaux, plantes — à qui elle avait retiré la vie. J'ai vu, moi aussi, tous ces corps écroulés, et j'ai ressenti combien grande était l'amertume de la Terre.

Je l'écoutais et elle se demandait : tant d'êtres sacrifiés, tant de vies saccagées sur l'autel de quelle divinité ? Qui pouvait exiger indéfiniment de telles offrandes, tout au long des millénaires, sans jamais être rassasié ?

*
* *

Lettre n° 78

Des protéines qui viennent du froid

Il faisait froid. Il pleuvait. La nuit était tombée. Le train passait...

Le train passait dans un bruit énorme. Les gens étaient debout sur le quai, mais personne n'y prêta attention. C'était un train de marchandises lancé à toute vitesse. Une banalité, en somme.

Pourquoi, alors, éprouvai-je un malaise en le regardant ? Chaque fois qu'un tel train passe devant moi je ressens la même sensation d'angoisse. Or, pour tous les gens, c'est évident, ces trains ne provoquent aucun sentiment.

Il y a toutes sortes de trains de marchandises. Seuls éveillent en moi cette angoisse pénible, ceux qui transportent des animaux vers les abattoirs. Lorsqu'un train de marchandises passe devant moi, je crains de voir les sinistres wagons-prisons où sont enfermées ces créatures abandonnées par tous, sauf par ceux qui en tirent profit.

Comment ne pas être saisi de compassion pour ces pauvres bêtes emportées, ballottées, dans un bruit de ferraille, vers leur exécution dans des conditions lamentables !

Klaanah, je suis désemparé. Chaque jour, de nouveaux visages de la désolation m'agressent et me provoquent. Au terme de quelle pitoyable descente aux enfers ce Peuple est-il arrivé aux marches d'une telle insensibilité ?

Il est vrai que son Histoire se déploie dans les territoires de la brutalité, de la vulgarité, des meurtres aux points d'intersection de toutes les circonstances de l'existence quotidienne. Comment expliquer un tel ensevelissement dans la sauvagerie ? Il est vrai que ces gens, mangeant ce qu'ils appellent de la « viande », trouvent très naturel que ces animaux soient tués pour être dévorés.

Ainsi ces chevaux qui viennent de si loin. Pauvres vieux chevaux, usés par le travail dans les champs, dans les mines, dans les cirques, mal alimentés, mal traités et promis à la boucherie.

Au départ, ils avaient attendu des jours entiers : dix, douze jours, parqués, non alimentés. Pourquoi les nourrir convenablement, puisqu'ils devaient mourir ?

Attachés dans les wagons en deux groupes de cinq, de part et d'autre de la porte, ils sont séparés par des barres flottantes en bois ou en fer qui les blessent.

Ces chevaux doivent être abreuvés, nourris et traités « humainement » au cours de leur voyage qui durent plusieurs jours, ont déclaré doctement de graves et très importants personnages, réunis, entre deux repas copieux, dans d'augustes assemblées.

Mais les chevaux restent souvent deux jours sans boire et, aux deux points d'eau prévus, seuls sont descendus des wagons les chevaux dociles. Quant à ceux qui sont nerveux parce que fatigués, craintifs parce que terrorisés, ils ne boiront pas.

En été, ils meurent d'insolation, de soif, d'œdème aigu du poumon. En hiver, ils souffrent du froid. En toutes saisons, ils sont blessés par des ruades, des morsures provoquées par les autres chevaux devenus fous dans leur situation d'extrême détresse.

Certains d'entre eux s'écroulent sur le plancher du wagon, piétinés par les autres chevaux affolés, leur faisant des plaies, qui s'infectent dans le fumier imbibé d'urine, ou des fractures des pattes. Fiévreux, agités de tremblements généralisés, les yeux vitreux, ces chevaux sont emportés vers la gare destinatrice où ils arrivent morts.

Et cet autre cheval, épuisé, mais encore debout, descendu vers la fontaine, qui tombe et meurt à quelques pas de l'eau ?

A moins que, transportés en camion, attachés très court, les forces de quelques-uns d'entre eux déclinant, tel ou tel fléchisse sur ses pattes et s'étrangle.

Et ce cheval, frappé, parce qu'il refusait de descendre, par des brutes avinées, agitées, vociférantes ; la langue sectionnée par une lanière, achevé à coups de couteau ?

Il faisait froid. Il pleuvait. La nuit était tombée. Le train était arrêté, toutes portes ouvertes, vide. Les chevaux étaient arrivés à leur destination. Demain, ils seront tous morts.

Le cheval gisait sur le sol, dans des flaques d'eau et de sang mélangés. Et j'étais debout, seul avec lui, tremblant autant qu'il avait tremblé avant de mourir.

Lettre n° 79

Il faut savoir tourner la page

Le fifre le chantait :
« Les ruines des chapitres passés aspirent à être oubliées.
« Qui penserait s'installer dans des ruines ? Comment trouver naturel de disposer les jours à venir sur les tombes des jours défunts ?
« Qu'espérez-vous construire sur des murs chancelants ?
« Tout est mesuré. La vie de chacun l'est, tout comme la vie de la Terre elle-même. Pourquoi la vie d'une société ne le serait-elle pas ?
« Celui qui chemine sur le territoire de son agonie doit être respecté et aidé à atteindre la petite porte qui conduit à un ailleurs dont personne ne sait ce qu'il y a derrière, même si certains prétendent tout connaître, comme s'ils étaient des habitués de ces lieux. Mais est-ce avec un agonisant que l'on imagine des projets ?
« Comment croire qu'avec les entrailles institutionnelles d'une société en déliquescence, on pourra forger une société saine et vigoureuse ?
« Un être jeune pourrait-il survivre avec des organes usés ?
« Chaque printemps, l'arbre renouvelle son feuillage. Celui-ci est-il fait des feuilles de l'année précédente ?
« Quand ce Peuple comprendra-t-il qu'on ne peut construire un monde avec des cendres et de la poussière d'idées, de coutumes et de lois, qui maintiennent, consolident les inégalités : les classes, les castes, les différences ?
« Que cela soit entendu. » Et le fifre se tut.

Lettre n° 80

Noyés dans la superficialité

Est-ce pliés sous le poids de leurs acquisitions qu'ils franchiront la porte étroite ?

Klaanah, je regarde ces hommes, ces femmes qui accumulent les objets, les distinctions, les futilités, les « richesses », du moins ce qu'ils estiment telles.

Il existe, ici et là, des tapis roulants qui emportent les gens sans qu'ils aient besoin de marcher. La vie ne serait-elle pas ainsi ? Les foules glissent le long de l'existence, ramassant au passage tout ce qu'elles trouvent, jamais rassasiées.

Chacun selon son goût, selon ses capacités, selon les circonstances, en fonction des normes, des coutumes et des modes, des valeurs admises et des idées consacrées.

Et elles arrivent, les bras chargés de choses hétéroclites, au bout du tapis roulant, au terme de leur existence. Là, il y a une porte où chacun doit passer à son tour et seul.

Je les regarde. Il est amusant et réconfortant de les voir déposer leurs paquets pour franchir la porte les mains vides.

Chargés de tant de choses inutiles, ont-ils seulement eu une pensée chaleureuse pour la Terre ?

*
* *

L'enfant hurlait dans la nuit. Enfoncé dans la boue, le sang coulant de son visage arraché, de ses yeux crevés, l'enfant hurlait dans la nuit.

*
* *

Lettre n° 81

Des roues dentées comme destin

Que reste-t-il de ce Peuple, au milieu de ses machines ?

Je survole la Terre et je vois des assemblages terrifiants de tours, de cheminées, de citernes, de conduites qui s'enchevêtrent, s'entortillent et disparaissent sous des torrents de fumées noires ou d'un blanc agressif, malsain, affreux.

Partout, des écrous qui tiennent debout chacune des parties de cet enfer. Une armée d'écrous, installés comme des sentinelles en chaque point de cette énormité diabolique.

Et l'homme, dans tout cela ? Minuscule. Un point dans un labyrinthe de constructions rougeoyantes, déversant dans le ciel la vapeur et les poisons qui s'enroulent dans les replis des vents et s'insinuent dans le corps de l'homme qu'il détruit lentement, sans bruit et sans appel.

L'homme, qu'est-il dans cet univers d'écrous ? Chaque machine est une porte de sa prison. Il est enfermé, seul, perdu dans son monde insolite, pauvre et pitoyable victime de son cerveau emballé.

Le monstre crache la mort, contenue, en attente du moment opportun où, sous la poussée volcanique de sa fureur brisante, elle forcera la pesée des écrous et creusera une plaie dans la chair de l'homme et dans le ventre de la Terre.

*
*   *

Lettre n° 82

Ne mets pas de tête au-dessous de la tienne

Le fifre le pense :
« L'arbre est une leçon pour ce Peuple.

« Les civilisations qui se sont succédé ont conservé le même feuillage politique. En haut, les seigneurs qui regardent le Ciel et attendent que ceux qui sont en bas, et qui regardent l'enfer, peinent pour faire monter la sève jusqu'au sommet et nourrir ceux qui les exploitent.

« Dans les branches supérieures sont installés et se prélassent ceux qui sont censés penser pour ceux qui, enfouis et entassés dans les racines, sont exemptés du pouvoir de réfléchir.

« Quand ceux qui sont refoulés dans les coulisses se lèveront-ils ? Quand perceront-ils le sol de leur servitude, de leur soumission, de leur démission, et comprendront-ils qu'il n'y a pas de haut, pas de bas, que l'arbre est un tout, que les feuilles les plus hautes ne sont rien sans les racines qui les abreuvent, que le labeur des racines serait sans objet sans l'air et le soleil ?

« Qui est asservi dans l'arbre ?

« Qui prétend être au-dessus ?

« Qui tolérerait être au-dessous ?

« L'arbre est un. Chacun de ses composants est à sa place, à la place correspondant à une authentique fraternité, à une rigoureuse solidarité.

« Que cela soit entendu. » Et le fifre se tut.

*
* *

Lettre n° 83

Les délices de la nullité

Par décret, le bonheur a été déclaré obligatoire.

On le présenta aux foules comme le témoin d'une volonté démocratique de généraliser le bonheur, jusqu'alors réservé à une fraction, importante mais insuffisante, de la population.

Une enquête nationale avait été réalisée par des équipes de spécialistes, pour déterminer la proportion de gens heureux et de ceux qui, apparemment, ne possédaient pas les conditions requises pour l'être ou le devenir.

*Il y a un ordre ici,
puissant et fragile.
Cet ordre s'appelle Communion.*

Plusieurs milliers de personnes des deux sexes, âgées de plus de trente ans, avaient subi un examen approfondi avec des encéphaloscannoélectromètres en flux continu. Ces merveilleux appareils enregistraient l'état de chacune des cellules cérébrales, permettaient de déterminer le contenu des cellules et de le mesurer — le quantifier, comme disaient les éminents spécialistes.

On constata ainsi que chez les gens heureux, 30 % du contenu des cellules cérébrales concernaient le football, 10 % les courses d'autos, 20 à 40 % le tiercé et le loto, 5 à 20 % la mode, et le reste les problèmes personnels.

Lorsque les soucis privés plafonnaient entre 40 et 50 %, la personne n'était heureuse qu'épisodiquement. Au-dessus de 50 %, surtout si le reste était représenté par une absence d'intérêt pour le football, le tiercé et le loto, c'était la dépression nerveuse qui se manifestait dramatiquement.

On admit dans les barèmes officiels, fondés sur l'observation scientifique, que, pour le moins, 73 % du contenu des cellules cérébrales devaient être exprimés par l'apport culturel des jeux susnommés, pour être assuré d'établir une assise de bonheur solide et durable.

La population fut impérativement invitée à jouer au tiercé, au loto, au quarté, au loto sportif et à une demi-douzaine d'autres jeux intellectuels du même esprit, inventés pour la circonstance.

Si bien que ne possédant qu'un petit reliquat de cellules cérébrales disponibles, il n'était guère possible aux gens heureux de penser à autre chose, de se tourmenter à propos de quoi que ce soit. Comme l'assurait le Penseur de la Nation, c'était là la condition essentielle pour être heureux.

Chaque jour, leur travail terminé, ils avaient deux ou trois jeux pour occuper leurs loisirs ou, selon l'expression consacrée, ils tuaient le temps. Il ne leur restait, en somme, qu'à tuer l'espace pour être au paradis, dans un monde où l'on tuait tout ce qui bougeait, sans oublier tout ce qui était immobile.

Les bons sujets dérivaient ainsi au sein d'une bienheureuse médiocrité, d'un abrutissement douillet, avec des motifs de conversation en nombre suffisant pour leur permettre de se considérer comme des intellectuels. Leur député, le gouvernement, pensaient, décidaient pour eux, les faisant flotter dans un bain d'assistance mousseux, odoriférant, semi-hypnotique.

De temps à autre, pour stimuler leur dynamique de médiocritisation, leur donner l'impression tonifiante qu'ils avaient des idées géniales, on fixait leurs cellules cérébrales résiduelles sur un sujet déterminé, facile à appréhender, à la mesure des moins doués d'entre eux : la forme des talons de chaussures, une crème qui rajeunissait de vingt-cinq minutes chaque jour, une couleur des cheveux qui ne se voyait qu'avec des lunettes à infrarouge, la longueur des pantalons, la couleur des caleçons, etc.

Autant d'éclairs éblouissants de portée nationale, apportant à l'existence cette touche primesautière qui est la marque des esprits évolués, conférant à chacun la possibilité de manifester les merveilleuses capacités de sa personnalité et ravalant ainsi périodiquement la façade de son bonheur.

Pendant ce temps-là, sur la même planète pourtant, des massacres, des destructions, des événements hideux, épouvantables, atroces se succédaient en chaîne, ici, là, partout. Mais, enfermés dans leur gangue d'insensibilité contrôlée, planifiée, standardisée, tous ces gens ne se souciaient pas de ces choses. La médiocritisation des uns, la démonisation des autres cohabitaient dans une douce euphorie.

Jusqu'à ce qu'un jour, là ou ailleurs, la férocité débarque sur la plage du bonheur, la morde, faisant fondre en quelques minutes ce qu'elle avait de factice, d'illusoire, et laisse apparaître sur les visages crispés cette panique propre aux êtres inachevés, laquelle, en retrait, ne les avait en fait jamais quittés.

Lettre n° 84

Y a-t-il un lit d'hôpital pour soigner Dieu ?

« Dieu sait ce qu'il fait. C'est ainsi que parlent les gens de ce Peuple, m'a dit le vieil homme. Dieu sait ce qu'il fait et si tout va mal, Dieu savait qu'il en serait ainsi. Qu'il devrait en être ainsi.

« Le désordre règne sur le bateau qui sombre dans la mer des Poissons. Ce désordre est l'enfant des manigances de ce Peuple. Pendant des siècles le Peuple, dans une farandole insensée, a piétiné la face de la vie. Il l'a écrasée, défigurée, et il ne reste, pour dialoguer et pour subsister, qu'un visage affreusement mutilé.

« Dieu sait ce qu'il fait. Il savait qu'un jour le navire tournerait en rond, en fin de sa course, donnant la nausée à une foule affolée. Mais tout est bien.

« Dieu a regardé ce Peuple briser les lois de sa race, inscrite sur la pierre et dans son être, pour les remplacer par des lois écrites sur les parchemins, des lois de son invention. Le parchemin a été froissé, déchiré, enterré, les lois se sont effacées. Il reste le despotisme des États et des voisins.

« Dieu n'est pas surpris, car Dieu sait tout. Il a laissé ce Peuple s'enfermer dans les méandres de ses désastres, et la Terre, devenue livide, se retrancher dans sa peur.

« Mais bientôt, aux marches de la déroute, une longue inspiration d'un fluide salvateur venu d'en Haut, doit imprégner les gestes et les pensées du Peuple de la marque subtile et décisive de la renaissance. Il suffit d'espérer. Et le Peuple attend patiemment l'envolée d'un Signe emprisonné dans les murailles de sa démission.

« Pour certains, tout cela semble clair ; pour d'autres, ce remue-ménage reste obscur. Bien des gens ne savent rien de leur maladie. Ce Dieu ne connaît peut-être pas grand-chose de la sienne ? »

*
* *

Lettre n° 85

La suffisance qui se voulait aussi grosse qu'un bœuf

Quel est ce dé à coudre qui flotte sur des nuées obscures ? Il est bien petit ce dé, aux trois quarts vide. Mais, comme il brille de tous les feux de sa fatuité !

Je me suis approché de lui, mais il ne m'a pas regardé. Je lui ai parlé, mais il ne m'a pas répondu. Quel est donc ce dé à coudre qui dérive sur des étendues inquiétantes ?

Je suis allé le demander au vieil homme. Il a souri et il m'a dit :

« C'est un savant, mon ami. Un homme reconnu " savant " dans la Citadelle. Une étrange chose que l'on doit approcher avec circonspection, avec le respect que l'on accordait aux divinités et le soupçon de terreur que l'on éprouvait à leur égard.

« Ce savant, mon ami, est le prêtre d'une nouvelle religion : le scientisme, dispensateur d'espérances, comme toute divinité qui se respecte ; annonciateur d'un pouvoir millénariste illimité sur l'univers, par la machine et des petits machins ; gardien de la foi en la standardisation, la programmation, la robotisation ; par la marche illuminante des foules dans les enclos du presque non-être, sous la protection bienveillante, paternelle, sécurisante des prêtres installés dans leur dé à coudre, célébrant leur office dans les facultés et dans les hôpitaux. »

— Mais, qu'y a-t-il dans ces dés ? ai-je demandé.

« Le savoir, mon ami. C'est là que ces prêtres enfouissent leur savoir, qu'ils couvent, chérissent, encensent, polissent, pour le faire briller, le gonfler, en le parant de mots abstrus d'eux seuls entendus et reçus.

« Vaste savoir, admirable savoir accumulé, entassé, tassé dans ce dé à coudre qu'il ne remplit même pas !

« Pauvre savoir, égaré, perdu dans la nuit opaque des espaces où tout n'est qu'ignorance.

« Pitoyable savoir, éperdu de vanité qui se dresse comme une muraille menaçante devant la connaissance des lois intimes de l'existence.

« Petit savoir grandiloquent, installé sur un trône, au centre de la Citadelle, offert à l'admiration adorante du Peuple, à genoux, bras tendus dans l'attitude fervente et éperdue de l'orante, dernier refuge proposé aux foules désorientées.

« Ce Peuple, mon ami, a toujours été à l'affût d'une divinité, avide de se prosterner, qu'il s'agisse d'un rêve ou d'un homme. Alors, les nouveaux prêtres se sont déclarés disposés à satisfaire leur avidité d'adoration.

« Ils lui ont déclaré qu'ils possédaient le pouvoir médical, la grâce de répandre la guérison par des moyens actuels ou à venir, qu'ils étaient les grands maîtres de l'infestation et les sublimes sorciers dans l'art de remplacer les organes, tous les organes en pièces détachées, jusqu'à ce qu'il ne reste d'origine que la plante des pieds.

« Savoir impérieux et dominateur, exigeant l'obéissance inconditionnelle, une confiance sans faille, une soumission extasiée.

« Savoir vitriolique qui brûle tout autre savoir, toute velléité de connaissance autour de lui. Son destin royal est de régner seul, debout, tel un phare éclairant les malades. Seuls sont assurés de guérir, d'être soulagés de leurs maux, ceux qui sont touchés par le faisceau lumineux, curateur et magique et par le parler des oracles hospitaliers.

« Et tout autre savoir est impitoyablement refoulé, traqué, enfermé dans les territoires du mépris, avec pour sentinelles la médisance, la moquerie, la calomnie, la déformation de la réalité, la stupidité.

« Ce savoir impérialiste a ses frontières bien gardées. Il exerce son autorité fascinante, hypnotique, et il se garde farouchement des hérétiques.

« Les bûchers de l'Inquisition ne sont pas éteints. La braise est endormie sous la cendre, et les prêtres de la sainte médecine attendent l'heure opportune et la lune propice pour ranimer le feu.

« Sur quel sol ces gens ont-ils installé leur arrogance ? Sur un sol pavé de molécules étrangères à la Terre, étrangères à l'homme. Molécules drastiques, corrosives, décapantes, intoxicantes, malfaisantes. Elles se nourrissent de la souffrance, et plongent leurs radicaux chimiques, cycliques ou non, dans les profondeurs des charniers où sont entassés les animaux assassinés.

« Savoir meurtrier, à la recherche de la puissance par la brutalité ; savoir aux résonances morbides, parce que outrancier ; sanguinaire, parce que despotique ; répulsif, parce que instransigeant. Mais savoir quand même, qui aurait sa place et son droit s'il acceptait le dialogue avec les lois de la nature, compagne née dans les bois, à l'écoute du murmure des choses et qui sait lire sur les tablettes le vocabulaire de la maladie selon le parler de la connaissance : celle qui exprime sa puissance dans la subtilité.

« Savoir grossier et vulgaire, mais parfois nécessaire, dans ce monde grossier et vulgaire, et qui serait donc accueilli s'il admettait qu'il n'est qu'un savoir parmi d'autres savoirs ; s'il réussissait à contrôler son agitation maniaque ; s'il affinait ses recherches en rétablissant des relations harmoniques avec les mécanismes de la vie, en cessant de leur substituer des rafistolages monstrueux. »

Étonné de voir le vieil homme en colère, lui si serein, si calme, je le regardais. Il sourit :

« Vois-tu, mon ami, ce dont le Peuple a besoin est moins d'un surcroît de technique et de sciences que d'un soupçon de réflexion et de sagesse. »

*
* *

Lettre n° 86

Quel grand écart pour une âme ligotée ?

Le courant charriait des êtres, comme des débris arrachés par une inondation.

Le courant passait partout sur la Terre, ravageur. Il coulait depuis des temps immémoriaux, depuis que ce Peuple avait vécu dans le carcan de conventions nées on ne savait où, imaginées par on ne savait qui, fondées sur on ne savait quoi. On le savait d'autant moins qu'on ne le recherchait guère. Les choses étaient ainsi, l'existence de tous s'écoulait comme cela. Comment eût-on pu penser qu'il pouvait en être autrement ?

Chacun suivait le courant, se laissait emporter sans se poser de question, répétant ce qui se disait, affirmant ce qu'il avait entendu, sans seulement comprendre le contenu de ses affirmations.

Se soigner d'une certaine manière, manger d'une façon donnée, se comporter en telle occasion comme ceci, parler en telle circonstance comme cela. C'est cela l'Ordre établi. C'est ainsi que s'expriment les bonnes manières et que l'on ne choque pas les voisins.

L'enfant, depuis sa naissance jusqu'à sa puberté, doit assumer une série de mutations. Une fois l'âge physiologiquement adulte atteint, l'individu se sclérose, se momifie, se laisse envelopper complaisamment dans les bandelettes de l'Ordre ambiant. Essayer de retirer ses bandelettes est vain. Escompter qu'il les retirera lui-même est une source de désillusions.

L'Ordre établi, c'est un ballet cristallisé de mots, de gestes, de pensées. Marcher, courir, sauter, se laisser glisser avec le courant, et regarder, courroucé, scandalisé, ceux qui résistent. Écouter, fasciné, ceux qui l'enracinent dans les ornières de l'irréflexion, de la pensée précontrainte. S'éloigner, méfiant, loin de ceux qui, patiemment, avec persévérance, l'invitent à remettre en question l'existence quotidienne.

Les Compagnons de la Reconquête le savent : la personne humaine est peu à peu défigurée par les remous du courant. Mais les gens défigurés, vivant au milieu de gens défigurés, ne voient et ne savent rien de cette défiguration. Il ne subsiste de l'homme qu'une sorte d'épouvantail que les maîtres en tout genre manipulent comme des mounaques sans consistance.

L'important, aujourd'hui, dans ce temps qui sera l'Antiquité de la Reconquête, ce ne sont pas les foules momifiées, ce sont les garçons et les filles dont le comportement et les pensées s'ébattent dans des espaces libres, les filles et les garçons qui construisent leur avenir avec les matériaux de demain et qui ont secoué leur mental pour faire tomber la poussière du passé.

*
* *

De la palette des nuages naissent les formes et les sourires de la Terre.

Lettre n° 87

Des pensées moribondes pour berceau

Le fifre le répète :
« Se dégager n'est pas nécessairement se détacher.
« Ajouter des mots nouveaux au babillage ancien ;
« Transformer les habitudes ;
« Jeter un masque, dix masques, pour en revêtir un, dix autres ;
« Abandonner un étendard pour en brandir un d'une autre couleur ;
« Quitter l'ombre d'un maître pour se précipiter dans les bras d'un autre maître ;

« Rompre des attaches pour se laisser ligoter plus étroitement ;

« Tout cela n'est que piétinement, car modifier les décors n'est pas forcément progresser et " progresser ", ce peut être surtout s'empêtrer dans les ornières habituelles. »

De quel poids peuvent être les paroles de celui qui brandit un étendard et porte un masque ?

De quelle envergure seront ses clameurs et ses promesses, sinon de la mesure des rictus de son masque et de l'ombre portée de son étendard ?

Le cortège suit les ruelles de la Citadelle ; le carnaval de l'existence gesticule et saute au son de la fanfare, avec son cortège d'étendards et de masques de politiciens, de juges, de militaires, de médecins, de prêtres, de gendarmes, de prétendus savants, de travailleurs, de violents, de débonnaires, de despotiques et de rampants.

La Citadelle vibre au rythme d'une dynamique immobile.

*
*   *

Lettre n° 88

Retrouver le centre de gravité de la maturité

L'humilité n'a pas su trouver ses assises.

L'humilité, est-ce cette ombre qui traîne par terre, gémissante et poignante, s'éreintant à répéter qu'elle n'est rien ?

L'humilité, est-ce vraiment cette poussière d'être qui tente d'être encore plus invisible que la poussière de néant ?

L'humilité, cela peut-il être l'acharnement à s'aplatir, à ramper sous les semelles des dominateurs, en murmurant les strophes larmoyantes et pitoyables d'une soumission qui se voudrait immortelle ?

Ou, l'humilité, ici sur la Terre, me l'a appris le vieil homme, ne serait-elle pas de savoir se situer ni plus haut ni plus bas ? Se situer, non sur les marches des hiérarchies installées dans la Citadelle, qui n'ont de sens et de valeur que pour le Peuple incarcéré derrière les remparts, mais se situer sur le chemin de la maturation et de la culturation, ni plus haut ni plus bas, ni plus loin ni moins loin.

Dans la Citadelle, le vieil homme me l'a assuré, ce chemin n'a même pas été abordé. Il s'arrête de l'autre côté du pont-levis, et seuls peuvent le suivre ceux qui s'évadent.

Dans cette enceinte, la maturation est identifiée avec la facilité, la faculté de marcher au pas, en rang, avec les normes habituelles et les fanfares politiques, religieuses, mondaines, professionnelles et autres pantalonnades.

Ce simulacre de maturation est un ensevelissement dans un espace clos, un encrassement du mental dans le convenu, l'admis, l'autorisé, le conseillé, l'obligatoire, le contraint.

Et ceux qui ont l'impression de remonter le courant ou de marcher à leur propre pas, ne débordent souvent pas la situation générale de l'enfermement social. Car ils restent attachés aux aspects divers de l'accessoire et du futile qui savent prendre les traits de l'essentiel.

« Mon ami, m'a dit le vieil homme, dans cette Citadelle, tout est distribué selon des niveaux, les uns survalorisés, les autres sous-estimés. Aussi le plus difficile est-il de devenir un homme très ordinaire, comme l'a dit Lin-Tsi. Être très ordinaire, au sens noble du terme, c'est être sans distinction, être soi dans l'ineffable grandeur de la simplicité, sur le plan des relations cosmiques où le haut, le bas, le moins loin, le plus loin n'ont pas de sens.

« Chacun suit son chemin et ne se distingue artificiellement des autres d'aucune façon. »

L'important, Klaanah, si j'ai bien compris, et cela nous semble très naturel, même si ici cela apparaît très souvent inaccessible, ce n'est pas d'être loin, très loin ou peu loin sur le Chemin, mais d'y être et de marcher.

D'autant plus que le Chemin de la maturation est un point, sans profondeur, sans étendue, où tous ceux qui s'y trouvent et s'y retrouvent ne peuvent se distinguer les uns des autres, puisque l'essentiel a été accueilli par eux tous. L'essentiel étant la racine transcendante, une, de l'existence, ceux qui ont retrouvé la racine ont découvert l'unité.

Lettre n° 89

Les déserts de sable naissent de l'aridité de l'âme

J'étais un arbre épanoui et serein, planté dans une prairie saine et joyeuse.

L'homme est arrivé et il a détruit la prairie. Il a empoisonné la terre. La terre est morte.

Je suis devenu un arbre planté dans le désert.

Je suis un arbre sans feuille.

Mes branches sont tombées, mon tronc s'est brisé et je me suis couché.

Le désert est autour de moi. Le sable me recouvre jour après jour.

Bientôt il ne restera rien d'autre, sur le plan des souvenirs, que l'image d'un bel arbre épanoui et serein, planté dans une prairie saine et joyeuse.

Un homme est apparu, là-bas, au bout du désert. Il marchait en remorquant ce qu'il restait de ses richesses : une machine à laver la vaisselle en guise de carriole.

Il allait droit devant lui, à la recherche du paradis. Mais, de loin en loin, il ne trouvait que des étendues mortes et calcinées.

Il avançait pourtant, puisqu'il ne pouvait faire autrement. Derrière, il n'y avait plus rien ; devant, peut-être restait-il quelque chose ?

Alors, tirant sur sa machine à laver, il se dirigeait vers l'Ouest, car c'est toujours vers l'Ouest que les peuples ont trouvé des choses et des êtres à détruire et à s'approprier.

Il arriva finalement là où mon tronc reposait sous le sable. Il s'arrêta et s'assit, puis se coucha, puis mourut.

Le sable peu à peu le recouvrit, ainsi que sa machine à laver, pleine de bouteilles vides, de chiffons, de journaux déchirés, d'objets détraqués, de fleurs desséchées.

Le désert était vide. Le silence s'était installé. La Terre avait retrouvé la paix des matrices.

Une voix, venue de ses entrailles, s'éleva :

— Le temps est venu de reverdir la Terre. Mais, sans l'homme.

— Avec l'homme aussi, mais que cette fois il soit modelé dans l'argile des galaxies, de telle sorte qu'il demeure le frère des nébuleuses les plus lointaines.

*
* *

Lettre n° 90

La grandeur des choses est révélée dans les ultimes instants

Le lendemain matin, le printemps allait apparaître sur la colline 721.

Le général, à une distance prudente, dans une belle demeure, était penché sur une carte. A intervalles réguliers il envoyait des hommes, par vagues successives, à l'assaut de la colline 721.

Installés en haut de la colline, d'autres hommes les mitraillaient allègrement.

— Je l'ai culbuté ! exultait l'un, se rappelant comment il « culbutait » les lièvres lorsqu'il allait à la chasse.

— Je lui ai fait sa fête ! clamait cet autre.

Dans une joyeuse émulation, ils parsemaient la colline de cadavres, avec autant de ravissement que s'il se fut agi de fleurs des champs.

Au milieu de cet enfer, de ce vacarme, des gémissements des mourants, des appels des blessés, dans un repli de terre, une violette affolée respirait aussi doucement que possible pour ne pas attirer l'attention.

Depuis l'aube, combien de pieds lourdement chaussés étaient passés à côté d'elle ? Chaque fois elle s'était tassée, tremblante, sous une feuille. Des balles ricochaient partout. La terre, soulevée par les obus, retombait autour d'elle.

La petite violette, née il y avait à peine vingt-quatre heures, trouvait l'existence vraiment mouvementée. Ni sa mère ni son père ne lui avaient parlé d'un tel remue-ménage. Un gros insecte, qui s'était caché à côté d'elle, avait remarqué :

— Nous sommes dans un drôle de foutoir, ma belle. Le mieux est de ne pas s'en mêler. De toute façon, ils ne savent même pas pourquoi ils s'entretuent...

Peut-être avait-il voulu ajouter quelque chose quand une énorme botte buta juste à côté de la feuille, de la violette et de l'insecte. C'est au moment où la botte se soulevait pour avancer, qu'un obus arriva, éclata et creusa un cratère. Le soldat fut projeté en l'air et retomba au fond du trou, en même temps que la motte de terre sur laquelle se cramponnait la violette.

L'homme regardait sa jambe déchiquetée, le sang qui s'écoulait et là, à portée de sa main, il vit la violette. Il la saisit convulsivement. Peu à peu, tout devenait trouble autour de lui. Une rumeur sourde couvrait la colline, mais ici, dans ce trou d'obus, tout était calme.

Le dernier sourire de cet homme fut pour la fleur qu'il tenait et qu'il ne voyait même plus. L'homme mourait doucement et, dans ses spasmes agoniques, il écrasait la violette.

Ils ne devaient ni l'un ni l'autre voir le printemps se lever le lendemain matin.

Lorsque des brancardiers arrivèrent, l'un d'entre eux, avec sa gentille figure de brute, d'un geste machinal, comme cela, voulu balayer la violette. L'autre brancardier, considéré par ses camarades comme un peu simplet, lui dit :

— Laisse-lui sa violette...

Dans son rapport, le sous-officier ne parla pas de la violette parce que c'était sans importance.

Lettre n° 91

Le salut se cache dans le non-convenu

« N'est-ce pas dans les déserts d'incompréhension que l'on peut retrouver les racines d'un renouveau ? », m'a déclaré un jeune homme.

« Hier, m'a-t-il raconté, j'ai trouvé une mouche morte. Autant dire rien, d'un certain point de vue. Mais je vis en elle la personnification d'une solitude sans appel. Sans appel, si l'on n'intervient pas, si on laisse un être qui meurt, n'importe quel être qui agonise, s'enfoncer tragiquement jusqu'au fond de son abandon.

« Certes, on ne peut être auprès de toutes les plantes, de tous les animaux qui meurent. Mais lorsqu'on croise un tel être qui est arrivé au terme de sa trajectoire, ne peut-on s'arrêter un instant pour établir avec cette plante, avec cet animal, un lien de communion et de compassion ?

« Alléger la solitude de ceux qui quittent ce côté-ci de l'existence et qui ont, peut-être, qui ont sans doute peur, ne serait-ce pas, en pointillé, autant de moments majeurs de la vie ?

« La mouche était couchée sur le dos, inerte. Pour ce Peuple, il y avait là un fait, non seulement insignifiant, c'était un fait qui n'existait pas, qui ne serait inscrit nulle part, qui n'alimenterait aucune pensée. Comme si cette mouche n'avait pu mourir, puisqu'elle n'avait pour ainsi dire pas existé.

« Est-il concevable, se demandait le jeune homme, qu'un être qui a vécu et qui gît, là, puisse être à ce point démuni ? Mais si cette mouche est à ce point démunie, pourquoi certains parmi ce Peuple ne le seraient-ils pas tout autant ?

« Qui a inventé une échelle de valeur et d'importance entre les êtres vivants de la Terre, sinon ce Peuple ? Et quelle signification autre que conventionnelle et très aléatoire peut s'en dégager si le Peuple se situe au sommet d'achèvement de la pyramide de la Création ? Car pourquoi le peuple de la Mouche ne se situerait-il pas au même niveau ? Pourquoi le peuple des Plantes n'en ferait-il pas autant ?

« Quel étrange besoin a ce Peuple d'établir des barrières, de hausser les uns, d'abaisser les autres, établissant ainsi une guirlande de mépris !

« Se pourrait-il que le chêne méprise les arbrisseaux, qui en feraient autant avec les violettes ? En réalité, n'existe-t-il pas sur la Terre un seul Peuple ? Celui de tous les composants de la vie ?

« Mais alors, s'est étonné le jeune homme, si l'on enterre les hommes, les femmes, les enfants, pourquoi n'enterrerait-on pas les mouches, lorsqu'on en trouve une qui est morte ? »

Aussi l'a-t-il enterrée...

« Mais, m'a-t-il dit, lorsqu'on accomplit de tels actes, aux anti-podes de ce qui est convenu et accepté dans la Citadelle, on ne sait pas très bien si l'on agit d'une façon absurde ou au firmament d'une communion pleinement assumée.

« Sur le bateau, immobilisé dans l'eau croupissante de la Mer des Poissons, on est alors obligé de se cacher, comme si l'on avait commis un acte honteux, inspiré par un mental dépravé. Une mou-che... Franchement ! »

Après tout, le jour où ce Peuple estimera naturel d'enterrer les mouches, peut-être le monde ressuscitera-t-il ?

Lettre n° 92

Le paradis des uns et l'enfer des autres

Voici deux chevaux. Celui-ci s'appelle Garal de Zoulte. C'est un étalon. Sa valeur marchande est considérable. Il est traité avec de grands égards. C'est tout juste s'il ne reçoit pas la visite de la manucure et de l'esthéticienne. Tout est mis en œuvre pour lui assurer une existence longue et prospère pour son propriétaire. C'est une sorte de noble, d'aristocrate dans son genre.

Qu'a-t-il fait dans une existence passée pour être ainsi récompensé ? A-t-il obéi servilement aux règlements ? S'est-il incliné avec dévotion devant les puissants du moment et a-t-il remercié Dieu tous les matins de lui avoir permis d'être un bon travailleur, nourrissant son seigneur par ses impôts, taxes et holotaxes ? Qui peut savoir ?

Cet autre cheval n'avait pas de nom. Il n'en avait jamais eu. Il ignorait ce qu'était une caresse et il en était venu à considérer les coups comme le destin naturel des êtres vivants, des chevaux de sa condition, en tout cas.

A peine nourri, vivant misérablement, trimbalé ici et là depuis quelque temps, après avoir travaillé dans une mine, il n'avait de raison d'exister — pour un temps très limité — que ces jours bénis où il participait à des spectacles de grand art, de sublime tradition — une tradition encore au biberon, d'ailleurs — et empreint d'une ineffable religiosité, puisqu'une ribambelle de saints, de saintes, Dieu lui-même et son Fils étaient censés s'y intéresser.

Sa participation était à la mesure de sa condition de cheval roturier, spécimen de sous-prolétariat animal. De tous ceux, hommes et animaux, qui s'agitaient au cours de ces festivités, il était au plus bas de l'échelle.

Pourtant, les jours de liesse, on semblait le parer avec une sorte de matelas piqué qui descendait sur l'un de ses flancs. Pour le protéger, paraît-il. En fait, il souffrait tout autant, mais c'était surtout pour cacher ses plaies aux yeux du public.

A dire vrai, Klaanah, je ne sais comment te décrire ce qui m'a paru être le sommet de l'horreur, la quintessence de la vulgarité et de la brutalité, la plus ignoble démonstration de l'insondable décrépitude mentale que peuvent atteindre certains hommes et quelques femmes.

Tout se passe dans un trou à meurtres, que l'on appelle une *arène*, autour de laquelle se massent les représentants de ce que l'on peut rencontrer de plus taré dans l'espèce humaine.

Et là le pauvre cheval, vieux, famélique, tremblant de tout son corps, déguisé, subit les assauts du taureau. Le déchet humain qui le monte enfonce sa pique dans le cou du taureau, cependant que le taureau enfonce ses cornes dans le flanc du cheval.

Enivrant spectacle, réservé à l'élite intellectuelle, artistique, culturelle, spirituelle de cette Citadelle, qui hurle, vocifère, insulte, crache son excitation, vomit ce qu'elle a de venimeux dans les tréfonds de son âme purulente, et jouit de sa descente dans les abîmes de son délire.

Il fut un temps, paraît-il, où le cheval, renversé par des taureaux beaucoup plus puissants que les taureaux actuels, s'effondrait avec son cavalier. On le relevait à coups de pied. Et il allait avec ses intestins qui s'échappaient de ses flancs éventrés, et qu'il piétinait. On l'emmenait dans une cour et là on rentrait ses « tripes », on bourrait les vides de son ventre avec de la bourre, on recousait la plaie avec de la corde, on le lavait à grande eau, et on le ramenait dans l'arène vers les cornes du taureau pour de nouvelles éventrations.

Maintenant les taureaux sont beaucoup plus faibles, tiennent à peine sur leurs pattes, mais ils s'excitent néanmoins beaucoup plus sur le malheureux cheval que sur les imbéciles qui tournent autour de lui dans l'arène. Et le cheval est encore bien souvent éventré.

Voici ce que j'ai lu, sous la plume d'un fanatique des corridas : « Le cheval, fou de douleur et de peur errait çà et là dans l'arène, la selle ballante, le ventre ouvert, les entrailles bleues et rouges pendillaient entre les étriers comme d'énormes boudins. Bientôt les tripes traînèrent sur le sable, et comme il les foulait lui-même avec ses pattes de derrière, elles se dévidaient par paquets et faisaient des nœuds à la façon d'un écheveau qui s'emmêle. Le public, debout, gesticulait et vociférait. La foule réclamait parce qu'il ne restait plus un seul picador. " Des chevaux ! Des chevaux ! " criait-on à tue-tête (1). »

Ce « déboyautage » ne serait qu'un « accident pittoresque (2) ». Car, dans la corrida, la tragédie est si bien ordonnée et si fortement disciplinée par le rituel qu'un spectateur capable d'en saisir l'unité ne peut pas en séparer la tragi-comédie secondaire du cheval, ni en recevoir un choc émotif particulier s'il saisit le sens, le but de tout le spectacle (3) ».

A considérer les gens à face de dégénérés qui vont assister à ces lamentables spectacles, on doit convenir que ce ne doit pas être très difficile à « saisir ».

Mieux encore : « Quand avez-vous vraiment vu des chevaux étripés ? Au même moment où le cheval est blessé, il y a l'acte par lequel le matador détourne le taureau du picador exposé, acte qui a ses règles techniques importantes, sans compter sa large valeur humaine. Aucun véritable aficionado, à ce moment, ne regardera autre chose que cela. Pour regarder alors le cheval blessé, il faut avoir une attirance malsaine (4). »

Mon pauvre vieux cheval, mon pauvre ami, comment peut-on être aussi seul ? Tes plaies, ta souffrance, ta peur, ta détresse n'intéressent personne. Tu es là, abandonné affreusement dans cette arène devenue pour toi un océan d'abomination.

Vraiment, vraiment, Klaanah, le plus affligeant chez l'homme, ai-je remarqué, c'est sa capacité, sa facilité, son génie dirais-je, à édulcorer, à justifier, à embellir, à sublimer ses comportements les plus atroces. En fait, c'est bien la marque d'une insondable perversité. Mais c'est également une tentative inconsciente de déculpabilisation.

C'est ainsi que le cheval « étripé » on ne le regarde pas, tout entier accaparé que l'on est par le « rituel », au sens abstrait du terme, sans se soucier de ses contenus sanglants et horribles. Regarder le cheval « fou de peur » sans être bouleversé, serait

---

1. Blasco Ibanez Vicente, *Arènes sanglantes* (Calmann-Lévy, Paris, 1973, p. 335-336).
2. Henry de Montherlant, *les Bestiaires* (Gallimard, Paris, 1972, p. 18-19).
3. *Id.*
4. *Id.*, p. 94.

reconnaître que l'on se comporte comme une brute. Or, être boule-versé ternirait le plaisir, aussi se hausse-t-on sur les hauteurs préten-dues vertigineuses du grand art tauromachique, intouchable, ina-bordable, sacralisé, empaqueté dans une terminologie hypnotique. Du moins est-ce ainsi que je l'ai compris. Tout cela est assez décon-certant et effrayant.

Car, non seulement se distraire, mais jouir de la vision d'un meurtre commis de la façon la plus ignoble qui se puisse imaginer, dans des conditions de lâcheté incroyable, c'est vraiment très grave. Un Peuple qui tolère de telles purulences dans son corps, que peut-il escompter, sinon de pourrir dans sa totalité ?

Mais le taureau ? On le regarde, lui, et pourtant...

J'ai lu cela :

« Certains picadors vrillent la pique pour en augmenter la pénétration ; ils s'adossent à la barrière, ils blessent en arrière du morrillo ou sur le côté pour provoquer une hémorragie abondante ou léser le poumon ; ils redoublent leur coup sans attendre une nouvelle attaque du taureau (5). » Cela pour affaiblir d'entrée le taureau si le matador le trouve trop dangereux. C'est ce que l'on appelle « châtier le taureau ». Étrange propos.

« Abîmé par la dernière pique qui l'avait blessé dans le flanc (6), le taureau était devenu en quelques instants méconnais-sable. Le sang jaillissait par jets de la brèche énorme, ruisselait en écharpe, et tombait comme la pluie d'une gouttière. La souffrance, le froid ramassaient la bête qui avait pris cet air enfantin d'étonne-ment, ce regard qu'on ne peut pas supporter (7). »

Pourtant, ces taureaux ne sont pas bien puissants : « Aujourd'hui, les élevages offrent un type d'animal pratiquement généralisé, fonçant droit, d'une obstination et d'une rapidité moyennes, mais franc dans ses attaques (8). » D'où des corridas programmées pour le moindre risque.

---

5. Jean Testas, *la Tauromachie* (P.U.F., Collection « Que sais-je ? », Paris, 1963, p. 89).

6. C'est ce qu'on appelle une *pique d'assassinat*.

7. Joseph Peyré, *Sang et Lumières* (Bernard Grasset, Paris, 1973, p. 252).

8. Testas, *op. cit.* (p. 26).

« A peine la bête s'est-elle jetée sur la cape du torero qu'elle dérape et perd l'équilibre. Ses pattes de devant fléchissent. Elle tombe à genoux, puis s'affaisse et reste immobile, accroupie (9). » C'est ce que l'on appelle des « taureaux aux hormones », car ils sont nourris comme les animaux réservés à la boucherie.

Déjà pas très solide, on l'affaiblit de différentes manières : « l'*afeitado* est une pratique illégale, mais de plus en plus admise, qui consiste à mutiler les cornes de l'animal. Des experts utilisent diverses méthodes : limer les cornes jusqu'à ce que la chair et les nerfs soient à vif, ou bien enfoncer par un trou percé à la vrille, de fines échardes de bois. Quand on sait que chez le taureau les cornes sont de véritables " antennes " sensibles, où vient aboutir tout un réseau de terminaisons nerveuses, on peut imaginer dans quel état une bête *afeitée* pénètre dans l'arène (10). »

« Aujourd'hui, quand un camion quitte un élevage chargé de bêtes de combat, il fait parfois, la nuit, une halte non prévue au programme, sur un parking. Un groupe d'hommes prêts au rendez-vous monte à bord, endort les taureaux et mutile leurs cornes. Ou alors, quelques heures avant la corrida, quand les bêtes sont déjà dans le corral, on vient leur injecter un " calmant ". Il arrive que les fraudeurs aient la main lourde. Il existe aussi des méthodes plus primitives, qui ont l'avantage de ne pas laisser de trace : l'animal est battu à coups de sacs de sable sur le cou et l'échine juste avant d'être lancé dans l'arène (11). »

Et voilà, Klaanah, voilà l'art tauromachique. Que veux-tu que je te dise ? On parle d'égalité dans la Citadelle. Qu'est-ce que cela peut bien signifier ? Comment pourrait-on être en état d'*égalité* avec des individus aussi ignobles, sinon en étant ignoble soi-même ?

Et ce n'est pas tout. Je le regrette, mais qu'y puis-je ? On m'a demandé d'écrire ce qui se passe ici, alors je l'écris. Et si cela vous donne des nausées, sachez que moi je vomis à longueur de journées.

---

9. Quatrième Congrès mondial de la tauromachie, octobre 1980 ; article de F. Mazure dans *V.S.D.* n° 162, 5 octobre 1980.
10. *Id.*
11. Mazure, *op. cit.*

Voici ce que j'ai encore lu :

« Après plusieurs estocades, le matador en tenta une autre, mais le taureau avait bougé trop tôt. L'épée ressortait par le côté et le taureau se mit à vomir du sang. Le taureau, mufle contre le sol, ne bougeait pas, tirant une langue grise. Il était aussi inerte qu'un taureau empaillé, et un filet d'urine tombait de lui, continûment, comme le jet d'eau des locomotives. Acculé contre la barrière, sa gueule était une grotte d'écume et de sang, à chacune de ses respirations sa langue se collait à son palais (12)... »

Klaanah, je te fais grâce de la description du meurtre du taureau par l'épée, qui provoque une hémorragie foudroyante ; pour l'achever, on enfonce la pointe d'une épée droite ou un poignard en arrière des cornes, pour couper la moelle épinière.

Le cheval, le taureau et les hommes qui sont dans l'arène composent un ensemble d'une grande misérabilité. Le pire n'est pas là, dans l'arène, mais autour, sur les gradins.

« Moi, je sais ce que sont les publics actuels : des bandes de meurtriers (13). »

« Tout l'amphithéâtre avait les yeux sur le matador dans l'attente de profondes émotions. Ce torero-là promettait de " la toile cirée " (celle des lits de l'infirmerie) (14). »

Alors qu'un matador avait reçu un coup de corne, « les gens, enfin réveillés, se tournaient les uns vers les autres avec des mines ragaillardies, incapables de cacher la joie candide qui les transfigurait. Une blessure ! Enfin, cela commençait à valoir la peine qu'on se fut dérangé. Les grues faisaient de rauques cris de matrice, se tapaient sur les cuisses, pleines d'une maternité bestiale à la vue de ce mâle affaibli (15). »

« De la double blessure coulait avec l'avidité d'une source le sang générateur et purificateur. La bête chancela de l'arrière-train, tenta de se raidir, enfin croula sur le flanc, accomplissant sa destinée. Quelques secondes encore elle cligna des yeux, et on vit sa

---

12. De Montherlant, *op. cit.*
13. Peyré, *op. cit.* (p. 296).
14. Ibanez, *op. cit.* (p. 57).
15. De Montherlant, *op. cit.* (p. 237).

respiration. Puis ses pattes se tendirent peu à peu, comme un corps qu'on gonflerait à la pompe. Et son âme divine s'échappa, pleurant ses jeux et les génisses, et la chère plaine. Et l'œil brun et bleuâtre se fixa, grand ouvert sur la nuit. Des gradins, le peuple dévalait, sautant dans la piste, pour se presser contre la mort et s'en nourrir (16). »

Le matador « hochait la tête pour prendre à témoin on ne savait quel Dieu de l'injustice et de la méchanceté de la foule. Le taureau ne comprenait pas, lui non plus, un spasme tressaillant le faisait uriner (17) ». « Le matador, désemparé, pâle, était dans un état de semi-inconscience. Parmi les spectateurs, les uns paraissaient s'amuser beaucoup de ce désarroi, les autres s'égosillaient à crier qu'on leur volait leur argent (18). » « Ce que les gens venaient voir aux taureaux, c'était bien ce jeu, mais c'était cela aussi : la décomposition sur le visage d'un homme (19). »

Si l'on veut savoir ce qu'est la lie de la Terre, il suffit d'aller regarder les gens qui vont assister à une corrida. Car, la « vraie Bête féroce (20) » ce sont les spectateurs qui regardent la mort sans péril pour eux, la mort du taureau, et de l'homme si possible.

Les Compagnons de la Reconquête demandent l'interdiction de ces atrocités, mais les hommes politiques ne les écoutent pas. Comment de tels individus — qui possèdent le pouvoir de décision — pourraient-ils être crédibles en laissant se perpétuer et se perpétrer de telles horreurs ? Alors, pourquoi ce Peuple vote-t-il pour eux ?

Que penser de tout cela ? Si l'homme, ici, a une fonction, ce devrait être d'adoucir certaines violences involontaires de la Terre, et de l'aider pour que la tendresse qu'elle porte en elle puisse pleinement se manifester. Mais ces géniteurs et ces jouisseurs de l'affreux, qui sont-ils ? Quelle est leur fonction et où conduisent-ils ce monde ?

---

16. *Id.*, p. 253.
17. Ibanez, *op. cit.* (p. 395).
18. *Id.*, p. 341.
19. De Montherlant, *op. cit.* (p. 233).
20. Ibanez, *op. cit.*

Pour faire semblant d'être étonné, d'être scandalisé lorsqu'une explosion de férocité se manifeste, alors que chaque jour, partout, la cruauté s'exprime de toutes les façons ?

Pourquoi, lorsque des hommes se comportent d'une manière vulgaire et vile, en parle-t-on comme s'il s'agissait d'animaux ? Pourquoi parle-t-on de « bestialité » alors qu'il s'agit de brutalité ? Où a-t-on vu des animaux avoir une conduite aussi répugnante que certains hommes ?

La violence est plus contagieuse que la rougeole. Pourquoi être surpris par la violence qui apparaît ici, si à côté on tolère d'autres formes de violences ?

*
* *

Lettre n° 93

Le langage princeps est celui de la solidarité

Le chien me regardait.

Ses grands yeux me fixaient et renfermaient une interrogation si vaste, si profonde, qu'elle aurait pu contenir l'éternité et ce qui est au-delà de l'éternité.

Je suis très étranger à ce monde et je te l'écris, Klaanah. Peut-être ce chien l'était-il, lui aussi ? Mais comment me le disait-il ? Chaque être, ici, a son langage. Le Peuple a le sien, les plantes ont le leur, les animaux s'expriment à leur manière et les minéraux à leur façon. Il fut un temps, sans doute, où ce Peuple comprenait le langage des animaux, des plantes, des minéraux.

Il ne sait plus, semble-t-il, écouter que son propre verbiage.

« C'est le jour, m'a assuré le vieil homme, où les hommes ont commencé à mentir qu'ils n'ont plus rien compris du langage de leur entourage. Le chien te regardait, étonné, mon ami, parce qu'il ne voyait aucun des stigmates du mensonge inscrit sur ton visage. »

*
*   *

L'enfant hurlait dans la nuit. Secouant désespérément les
cadavres de sa mère et de son père pour les réveiller, l'enfant hurlait
dans la nuit.

*
*   *

Lettre n° 94

Il y a de la place pour chacun sur le chemin

C'était une vallée immense, tragique dans sa nudité, rocail-
leuse, sans un arbre, avec, tout au fond, une muraille de montagnes énormes, grises, lugubres, désertiques.

Au milieu de la vallée, minuscule, solitaire, perdue dans cette
fresque de désolation, une longue caravane s'étirait, serpentait et
traçait son destin. On entendait battre le cœur et on percevait
l'inquiétude de cette caravane. Elle opérait sa grande traversée
dans cet océan de pierres, insensibles, indifférentes. Mais l'étaient-
elles vraiment ?

Tout ce que porte cette planète — du moins, Klaanah, est-ce
ainsi que je le comprends — le minéral tout autant que l'animal,
que les plantes, que le Peuple de l'Envers, embarqués tous ensemble, traversent cette seconde d'éternité que sont les milliards
d'années de l'existence de cette Terre.

Ce Peuple, me semble-t-il, est plus sensible aux apparences
qu'à la racine unique de la vie, plus proche du dérisoire que de
l'essentiel. C'est pourquoi il hiérarchise : le minéral tout en bas, un
peu au-dessus le végétal puis l'animal, et enfin, modestement, tout
au sommet, le Peuple du Pays de l'Envers.

Pourquoi ne serait-ce pas le contraire ? A moins qu'il n'y ait ni
haut ni bas, pas de pyramide et donc ni sommet ni base, mais seulement un point, un seul point au centre de gravité de tout ce qui
existe ?

Ces parcelles de vie, voyageurs de la même aventure, cheminent dans la grande vallée cosmique, caravane pathétique qui avance entre les étoiles, dans le silence de l'espace et du temps, dans le clair-obscur d'une forêt de points d'interrogation, vers l'athanor de l'origine.

*
*   *

Lettre n° 95

L'égalité n'existe que dans la souffrance

« Donne-lui à boire... », a fait dire un poète de ce Peuple, à propos d'un soldat blessé qui gisait sur un champ de bataille et qui réclamait de l'eau. C'était ce qu'ils appellent ici un « ennemi », et pourtant il reçut l'eau qu'il demandait.

Alors, je regarde, plantés dans des jardins ou dans des bacs par des hommes, ces fleurs, ces arbustes qui meurent de soif. Je m'interroge : une fleur, en temps de paix, serait-elle pire qu'un ennemi en tant de guerre ?

Et je m'interroge encore : est-ce par indifférence ou méchanceté que ces gens n'entendent pas les appels de ces plantes ? Sont-ils frustes à ce point qu'ils ne perçoivent même pas le rayonnement de leurs souffrances ?

Vraiment, je ne pense pas que ce soit par méchanceté, mais plutôt, à ce qu'il m'a semblé, par le fait d'un lourd fardeau que porte ce Peuple : sa misère affective.

Cette misère est attachée dans la mâture du vaisseau qui dérive dans la Mer des Poissons, enduit visqueux qui a englué l'âme de ce Peuple dans le magma de son égoïsme et de ses désolidarisations.

*
*   *

La lumière venue du fond des abîmes,
enfermée dans la dentelle des vagues,
murmure sur la plage
avec la lumière venue des étoiles.

Lettre n° 96

Que faire de ces déchets ?

Dieu était perplexe, il convoqua le Conseil de Discipline.

Depuis plusieurs étoiles émanaient des plaintes. Des éléments incontrôlés s'acharnaient à détruire là où personne ne se serait avisé de détruire quoi que ce soit. Ils tuaient sans qu'on sache pourquoi. Quand on les arrêtait, ils ne savaient expliquer leurs forfaits.

Ils furent examinés. On en disséqua quelques-uns. On s'aperçut qu'il s'agissait de mutants dégénérés. Le Conseil de Discipline estima qu'il serait inconséquent de punir des malades et que l'on ne pouvait non plus songer à les soigner puisque leur tare était irréversible.

Alors, que faire de ces individus organisés en bandes malfaisantes qui répandaient le désordre et la crainte partout où ils passaient ?

Après bien des discussions entre les membres du Conseil de Discipline, parmi ceux qui voulaient les exécuter et ceux qui pensaient souhaitable de les enfermer, on opta pour une solution moyenne. Une délégation du Conseil fut reçue par Dieu. Elle lui proposa d'expulser ces mutants encombrants vers une autre planète où ils pourraient s'entretuer, se livrer à leurs distractions perverses favorites sans gêner personne.

Dieu les écouta, puis il médita. Il se fit apporter une carte des galaxies installées dans les quartiers déshérités de l'univers. De son Auguste Doigt, il chercha une planète assez isolée et, dans une impasse cosmique où personne ne s'était jamais aventuré, il découvrit une petite planète d'âge moyen, de sexe féminin, de modeste apparence mais avenante dans sa présentation. Il décida d'y envoyer les mutants dégénérés pour en débarrasser les planètes de noble lignée qu'ils importunaient.

C'est ainsi que la Terre reçut des hordes d'immigrés. Ces énergumènes, qui s'appelaient les « hommes », commencèrent par massacrer les habitants paisibles de cette planète. Ils s'installèrent en maîtres et nous connaissons la suite. C'est alors que commença le calvaire de cette malheureuse planète...

Le vieil homme me l'a annoncé hier : la Terre, lasse de supporter ces gens venimeux, sentant ses forces l'abandonner, épuisée par leur brutalité, constatant que leurs tares, loin de s'amender, s'aggravaient au fil des siècles jusqu'à devenir insupportables, estimant que tout dialogue avec eux était inutile, décida de porter plainte avec constitution de partie civile auprès du Grand Conseil des Étoiles.

Son avocat, une étoile d'une proche constellation, plaida pour elle. Il appuya son argumentation sur un fait incontestable qui avait d'ailleurs motivé leur expulsion des autres planètes : ces voyous se livraient à toutes sortes d'exactions sur la Terre. Mais, circonstance aggravante, ici, sur cette planète, ils étaient encouragés par les politiciens professionnels, aussi tarés qu'eux, de quelque bord qu'ils pouvaient se prévaloir.

La Terre était lasse, la Terre était démoralisée. Après tout, avait fait remarquer l'avocat, cette planète ne méritait pas un tel sort. Avant, elle faisait sa petite vie de planète gentiment, sans histoire, tournant autour de son soleil et sur elle-même conformément à sa loi, ayant de bonnes relations de voisinage avec la lune et avec les autres planètes de son système solaire.

Elle était belle. Ses forêts la couvraient d'un habit somptueux et protecteur. Ses océans étaient bercés au rythme de la lune. Sa faune se débrouillait gentiment pour survivre, s'entre-dévorant aimablement.

On pouvait faire le tour de son corps jeune et vigoureux, on ne voyait aucune blessure, aucune marque de vieillissement.

Maintenant, elle saignait de partout, des plaies la couvraient.

— Ne voyez-vous pas, Honorables Étoiles du Grand Conseil, tous les moignons d'existence qui se meurent sur elle ? Pourquoi cette Terre a-t-elle été ainsi punie pour qu'on lui envoie ces enragés ? s'était écrié l'avocat.

— Nous demandons, avait-il poursuivi, que ces mutants soient expulsés de la Terre, envoyés sur une planète glacée, désertique, où ils ne pourront rien dévaster, où ils ne pourront rien massacrer sauf eux-mêmes.

Le Grand Conseil leva la séance. Jugement à trois siècles.

Au jour dit, la Terre était présente, son avocat également.

Toute la galaxie était à l'écoute. Les étoiles avaient peur qu'on leur imposât ces tarés.

Le Président lut le jugement. Je l'ai entendu et je le résume. Il était vrai que les hommes qui avaient été amenés sur la Terre étaient des êtres d'assez basse qualité. Le Grand Conseil en avait parfaitement conscience, de même qu'il connaissait toutes les déprédations commises par eux. Le Grand Conseil le déplorait.

Si les effets de la maladie de ces gens devaient se manifester sans obstacle pour aboutir à la mort de la Terre, alors des décisions d'expulsion auraient été prises immédiatement.

On entendit un grand soupir de soulagement parcourir la galaxie. Ainsi donc, ces trublions allaient rester sur la Terre.

Cependant, le Grand Conseil a constaté que cette lie représentait une minorité parmi la population des hommes. La majorité était tranquille, assez inoffensive, sans doute trop débonnaire et, par cela même, se laissait-elle dominer. Cette démission, cette soumission étaient regrettables. Mais le Grand Conseil a observé que sur la Terre un souffle de Renouveau se manifestait. Partout, les éléments sains de cette population se dressaient, se réunissaient et mettaient en œuvre une grande entreprise pour répondre aux appels de la Terre et la sauver. Ils étaient à l'écoute des sollicitations intérieures leur rappelant l'objet de leur mission dans la vie, les exigences de leur épanouissement, les impératifs de leur accomplissement. Un mouvement se dessinait, une volonté s'exprimait. Les voiles qui maintenaient ce monde dans l'ignorance, depuis des millénaires, se déchiraient. Des taches de bleu se posaient sur les âmes et sur les consciences. Le navire du Verseau se peuplait. Il appareillait.

La mutation subie par ce Peuple n'était pas nécessairement génératrice de calamités et d'infamies. Tout cela n'était que le résultat d'une immaturité notoire.

En effet, les destructeurs étaient en passe de cesser d'être les dominateurs, les maîtres des gestes, des comportements et de la pensée.

Le Grand Conseil des Étoiles décida donc de surseoir au jugement, pour donner aux constructeurs la possibilité de s'affirmer. C'est vrai que parmi ce Peuple un autre Peuple est apparu. Au cri de détresse de la Terre il a répondu par le cri de sa Résolution. Les étoiles ont crié avec lui pour qu'enfin la Terre puisse retrouver son visage d'antan.

Comment, avec les constellations pour alliées, ce Peuple de la Reconquête ne réussirait-il pas à faire entendre, dans l'air léger des aurores nouvelles, les harmoniques du langage authentique de la vie ?

*
* *

Lettre n° 97

La palette de la beauté dans la paume d'une main

Je regardais l'aile qui battait lentement sur un fond couleur de nuit.

Elle montait, descendait, s'arrêtait, semblant flotter immobile, puis remontait, restait suspendue et, soudain, fendait l'air d'un mouvement rapide, s'envolant puis revenant en une courbe gracieuse, planant un moment, amorçant une remontée en spirale, pour finalement se poser doucement.

C'était la main d'un chef d'orchestre, bel oiseau venu des confins de sa migration et apportant avec lui la beauté qui éclôt en petites touches légères sur toute la Terre.

Je regardais l'aile qui rythmait les chants lugubres de l'infortune des hommes.

Je regardais l'aile qui battait la mesure de mon amour pour ce monde, ému de voir, superposées, tant de félicité et de misère, autant de grandeur et de déréliction.

*
* *

L'enfant hurlait dans la nuit. Debout, sur fond de monde dévasté, l'enfant hurlait dans la nuit.

Lettre n° 98

La mort des uns pour le plaisir des autres

C'était l'anniversaire du petit Jésus.

Ce soir-là, m'a raconté un enfant, c'était la fête chez sa gentille famille. Dans une pièce, on avait installé un sapin cloué sur deux morceaux de bois en croix. Il était beau, ce sapin, avec ses guirlandes multicolores, ses ampoules allumées et ses bougies.

Il était joli et très gai, le sapin. C'était un enfant sapin qui était en train de mourir. Cloué sur une croix, comme Jésus. Il mourait gentiment, sans bruit, sans une plainte, parce qu'il était content et que c'était la fête.

Sur la place, devant la maison, il y avait un autre sapin, un très grand sapin. Il avait été abattu dans sa forêt natale, puis replanté ici, dans un trou rempli de béton. Le béton, c'est très bon pour les arbres. Malgré tout, il mourait lui aussi. Des gens passaient et ne le voyaient pas. Il agonisait et les gens ne le savaient pas. D'abord, un arbre, cela meurt-il ? Et si un arbre meurt, quelle importance cela a-t-il ? Surtout si c'est la fête. Mais pourquoi l'avoir coupé et transporté ici, si les gens ne le regardaient pas ?

Les cadeaux étaient disposés en éventail aux pieds de l'enfant sapin.

La maman, ravie, reçut un manteau de fourrure des mains de son gentil mari. Un manteau de fourrure, un joli charnier, que la gentille maman, extasiée, caressait avec tendresse. Il était certain que ses amies et la crémière allaient être jalouses... Quelle joie pour elle de s'admirer avec ce cimetière sur les épaules ! D'ailleurs, si elle était contente c'est parce qu'elle aimait les animaux.

Aussi avait-elle offert à sa petite fille un petit chien.

— Oh, maman, qu'il est mignon ! Qu'il est mignon ! clamait la petite fille, en claquant des mains et en trépignant de joie. Et elle lançait en l'air le petit chien qui, finalement, retomba sur le bord de la table, et de là par terre, où il se brisa une patte.

Il venait d'un pays nordique. Un bien honnête commerçant l'avait acheté avec quelques autres chiens. Il les avait entassés dans une boîte à chaussures, et les avait fait entrer en fraude, comme il se doit. Trois, à l'arrivée, étaient morts, étouffés. Celui-là, avec sa patte cassée, il avait de la chance. Il avait été adopté par la gentille famille. Il vécut ainsi jusqu'aux grandes vacances où, par commodité, ils l'abandonnèrent sur le quai d'une gare.

La gentille maman, qui aimait les animaux, saisit un long paquet, enveloppé dans un papier couvert de pâquerettes, d'oiseaux et de petits lapins, tenu par un ruban rose, et elle le donna à son gentil mari.

Le papa dénoua fébrilement le ruban, ouvrit le paquet et sortit une panoplie de commando de parachutiste. Tout y était, depuis la casquette jusqu'aux bottes et l'équipement bariolé, pour se camoufler aux regards des lièvres arthritiques.

Tout excité, il s'habilla et la gentille maman, la gentille petite fille, admiratives, regardèrent le gentil papa, debout, jambes écartées, tenant son fusil. Comme à la télé. Il était prêt, le gentil papa, pour aller fusiller à bout portant des faisans d'élevage à leur sortie des cages. S'il chassait, c'est parce que, lui aussi, il aimait les animaux. Dans un élan de générosité, il aimait aussi la nature.

Pendant ce temps, le sapin mourait doucement, mais comme elle était belle la fête du petit Jésus, dans cette ambiance d'amour.

« Mon beau sapin, roi des forêts... » chantait joliment la petite fille. Ses parents, les larmes aux yeux, l'écoutait, un léger sourire éclairant leurs visages.

« Mon beau sapin, roi des forêts... » Comme elle était belle cette chanson ! La petite fille chantait, à côté d'un beau sapin scié à la base, devenu le roi d'un salon.

Les parents, extasiés, ravis, écoutaient la petite fille.

« Mon beau sapin, roi des forêts... » Quelle agréable fête ! Ils étaient ainsi cent mille sapins qui avaient quitté la forêt et dont, bientôt, il ne resterait que la chanson.

Et parce que c'était la fête — quelle fête, au juste ? — comme les voisins du dessus, ceux du dessous et du même palier, ils mangèrent des crevettes venues des mers tropicales, des cuisses arrachées du corps de grenouilles vivantes à l'Extrême-Levant, une dinde qui n'avait vécu que pour célébrer la naissance du petit Jésus.

Le sapin mourait ; la dinde, les crevettes, les grenouilles étaient mortes. N'était-ce pas ravissant de fêter cette naissance exceptionnelle sur un parterre rempli de cadavres ? C'était d'autant plus émouvant, si j'ai bien compris, que ni la gentille maman, ni le gentil papa, ni la gentille petite fille n'avaient pensé au petit Jésus au cours de cette soirée. C'est avec de tels gens que l'on fait de grandes nations.

Le petit sapin ici et le grand sapin sur la place, eux, cherchaient à comprendre pourquoi ils devaient mourir précisément ce jour-là. Ils étaient vraiment les seuls à se poser des questions, les seuls à entendre la Terre, horrifiée, appeler au secours.

Quelques jours plus tard, on jeta le petit sapin desséché dans la rue, avec les ordures...

*
* *

Lettre n° 99

Tout a une fin mais l'horreur n'a pas de fond

Atteindrai-je un jour le fond de l'abîme ? Atteindrai-je le point où je pourrai dire :

— Ici, je suis, mais je ne trouverai jamais pire.

Chaque jour, je le crois, mais le lendemain arrive et un nouveau paysage de l'enfer se propose, m'assaille et m'accable.

Il est déjà long le chemin que j'ai suivi depuis que je suis arrivé sur cette Terre. Elle est longue la route parcourue par l'Histoire de ce Peuple.

Comme une flèche lancée de plein fouet, elle a traversé de part en part le corps de la vie et, depuis, elle sème derrière elle, des flaques de souffrance et de sang.

Je patauge dans ces flaques devenues des mares, dans ces mares qui forment des lacs, des mers. Inondation affreuse qui suit le galop des géniteurs des apocalypses.

Massacres, tortures des hommes et des femmes de ce Peuple, prostitution de ses enfants, extermination d'espèces animales, dévastations de contrées entières, jeux sauvages, plaisirs sordides et meurtriers, extinction de peuples entiers, tueries pour une idée, pour le profit, pour la promotion, pour la distraction, pour se gaver.

Les freins ont lâché, la démesure est de rigueur et la Terre crie...
La Terre crie sa peur, cette peur qui saisit ceux qui vont mourir. La Terre crie son angoisse et sa souffrance d'être dépecée vivante.
Le Peuple l'écoute et la regarde, mais que peut-il faire ? Son existence dans sa Citadelle est inscrite dans les dimensions de sa perdition. Ce Peuple s'est installé en ce lieu des déraisons où l'ultime issue pour qu'il puisse survivre passe par sa propre destruction et par celle de la Terre.
A moins que...

*
* *

Lettre n° 100

Le merveilleux n'a que faire d'un trône pour être magnifique

Coincé entre les deux pôles du merveilleux, où cette Citadelle a-t-elle été chercher la laideur ?
Je contemple le ciel et je n'insisterai pas à propos de sa splendeur. Là-bas, derrière tout ce noir, parmi ces lumières qui tremblent, il y en a une qui t'éclaire, Klaanah, et je t'imagine assise et pensant à moi.
Que peux-tu comprendre de tout ce que j'écris ? Qu'est-ce que la laideur pour toi, sinon un mot dénué de signification ?
Ici, d'ailleurs, dans le Pays de l'Envers, la laideur n'a d'existence que dans les œuvres de ce Peuple, du moins dans certaines d'entre elles.
La Terre, aussi malmenée soit-elle, n'est jamais laide. Elle peut être triste, désolée, lugubre et même sinistre, mais au pire de ses

sites dévastés, calcinés, d'une sauvagerie abrupte, elle conserve une grandeur émouvante.

Cet arbre, frappé par la foudre, qui dresse ses branches charbonneuses dans un chant expirant, n'est-il pas beau dans sa détresse ?

L'infini des dunes du désert invite à la méditation comme l'infini du ciel. Comment la laideur pourrait-elle s'inscrire dans ces nappes de solitude ou dans le clapotis des vagues qui viennent lécher les lèvres de la Terre ?

Je vois des hommes se parer de mille futilités pour se convaincre de leur importance et de leur éminence, mais qui ne sont que de désolants pantins. Alors que la Terre, sans atours, et même dans la seule gamme des gris, par le miracle des arabesques de la simplicité, sait être intarissable dans sa magnificence.

Peut-être encore plus étonnante que le ciel et ses sentinelles debout dans les galaxies, ne serait-ce pas cette petite chose, cette vraiment très minuscule merveille que j'ai pu contempler ?

Des étendues étranges défilaient devant mes yeux. Il y avait des sortes de montagnes — mais étaient-ce des montagnes ? — des constructions sinueuses, compliquées et un océan qui baignait le tout, cependant que l'ensemble était encerclé par une digue. Et, de l'autre côté de la digue, une autre digue semblable, limitant un océan avec ses continents, ses îlots tourmentés et des débris flottants emportés par les courants.

De l'infini du ciel, j'étais projeté dans les profondeurs de l'infini de la source de vie, aux confins du visible : la cellule.

Vraiment, Klaanah, je suis chaque jour surpris par cette surprenante promiscuité de la laideur, de la mièvrerie, de la puérilité, de la mesquinerie de l'existence habituelle dans la Citadelle, et de la beauté, de la somptueuse grandeur des choses, de la brutalité des hommes, de la violence de certains phénomènes et des gestes enveloppants et amoureux de la Terre pour ses enfants. Elle égrène, en effet, ses merveilles en un chapelet féerique. Ici, les grains du chapelet s'envolent vers les nébuleuses. Là, ils plongent vers l'infini de ce qui est au-delà de l'imagination.

J'avais l'impression de survoler un monde aussi lointain que la plus lointaine étoile, et pourtant très proche, très familier. Familier, sans doute, puisqu'il était à la pointe même du germe le plus

L'épi est, lui aussi, un être pensant, porteur de vie sans cesse renouvelée.

extrême de la vie. C'est ainsi que j'ai appris qu'un être vivant était le résultat de l'assemblage d'un incalculable nombre de telles cellules.

Oui, aussi bien chez cette souris, cet arbre, cet homme ou cette femme, l'unité de vie est la même et se retrouve chez tous les enfants de la Terre.

Mais alors, comment est-ce possible ?

Je vois une cellule. Elle est là : attendrissante dans sa fragilité, surprenante par sa ténacité à durer, à se multiplier, et je vois cet arbre que l'on mutile, cet animal que l'on maltraite, cet homme, cette femme que l'on méprise.

Comment est-il possible que depuis la réunion de milliards d'unités de merveilles, on aboutisse à un être, quel qu'il soit, qui puisse être réduit à une telle insignifiance ? A si peu de chose qu'il soit loisible de le détruire, de le torturer, de l'envelopper dans les plis de la souffrance ?

Et cette petite souris, qu'est-elle pour les gens de la Citadelle ? Rien, en fait. Et pourtant, dans ses cellules, comme dans celles des femmes, des hommes, à chaque seconde, des réactions s'opèrent, en silence, innombrables, incroyables.

Cette souris, ce Rien, elle aussi a un foie, un cœur, un estomac, des reins, des vaisseaux. Elle aussi fait des petits qu'elle allaite, qu'elle élève et protège. Elle aussi pense comme il convient et répond aux appels de son existence et à ses impératifs.

Mais alors, comment est-il concevable que connaissant les rouages de cette éblouissante petite mécanique, cette femme en blouse blanche la saisisse, la décapite, lui ouvre le ventre, extraie ses organes et puis la jette dans une poubelle, comme un papier sale, comme un détritus, comme Rien ?

Que faudra-t-il donc inventer pour que ce Peuple puisse se mirer dans l'âme d'une souris et y retrouver l'image de son âme elle-même ?

*
*   *

Lettre n° 101

Dans le creuset de la tendresse naîtront les matins à venir

J'ai vu un autre visage de la Terre.

Un visage dont les traits étaient différents de ceux que l'on est accoutumé à regarder. Sur ce visage, il n'y avait ni forêt, ni vallée, ni montagne, ni océan, ni lacs, ni fleuve. On ne découvrait que des dunes. Des dunes grises et sales, vaporeuses, ondulantes, déferlant doucement comme des vagues paresseuses.

On ne voyait rien d'autre. Même le ciel avait disparu. A sa place, on distinguait le reflet des dunes, mouvant et insaisissable. Tout cela dans un grand silence : le silence des lieux désertés par la vie, où les ruines elles-mêmes ont cessé de respirer.

Sur chaque dune se dressait un représentant du Peuple, tenant en laisse les forces de la souffrance, de la peur et de la mort. Des forces dressées pour détruire.

Obéissant aux ordres des représentants du Peuple, ces forces soulevaient les dunes toujours plus haut, dans un tourbillon où le noir de tant de misères était traversé par les éclairs térébrants de la haine et de la folie.

Et puis, j'ai vu un enfant qui jouait avec un jeune chien. Le chien sautait, roulait sur lui-même, pirouettait, bondissait et jappait joyeusement, cependant que l'enfant riait aux éclats.

Alors, j'ai su que ce rire et tous les rires nés d'une complicité affectueuse entre tous les êtres qui peuplent la Terre, allaient bientôt effacer les nappes de dévastation rongeante et disperser les dunes.

Le ciel et les océans, les fleuves et les collines, les forêts allaient certainement réapparaître du cœur même de ce rire.

*
*   *

Lettre n° 102

La décrépitude comme piment de l'existence

Pauvres petites bêtes qui venez de si loin, parties d'une gare sinistre par un soir lugubre, pour arriver dans cette gare triste par un matin blafard.

Pauvres petits lièvres qui êtes accueillis par des hommes censés vous protéger, mais qui ne sont là que pour vous achever si vous êtes blessés ou mourants, ou refermer vos caisses pour vous envoyer encore plus loin dans votre calvaire.

Jusqu'à ce que vous arriviez dans une contrée que vous ne connaîtrez jamais très bien, où des hommes au faciès d'alcoolique vous attendront pour vous jeter dans un territoire inconnu. Épuisés ou malades, vous chercherez un coin pour mourir. A moins que, par malchance, vous surviviez jusqu'au jour où vous serez fusillés par de minables individus, déguisés en guerriers de bazar.

Pauvres petites bêtes, des hommes et des femmes se dressent partout pour que cesse cette lamentable pulsion de tuer, qui tente de se justifier dans ces culs-de-basse-fosse où s'accouplent la gloriole et la lâcheté, pour engendrer quel terrible monstre ?

*
* *

Lettre n° 103

Perdre l'habitude de perdre

Moissonner des brassées de Reconquête, les Compagnons le savent, ne pourra être réalisé qu'à la condition que soit perdue l'habitude de perdre.

Depuis des millénaires, ce Peuple, dans une condition permanente de dépendance et de sujétion, implore et attend les faveurs et la bienveillance de ses maîtres, sans s'étonner outre mesure s'il ne reçoit que déboires et un bail indéfiniment reconductible qui lui assure la misère, les guerres et le mépris.

Enfermé dans le ghetto de la Citadelle, le Peuple a pris l'habitude d'être perdant, de se voir refuser en toutes circonstances et dans n'importe quel domaine, ce qu'il demande comme pouvant représenter un facteur favorisant son existence quotidienne.

Comment perdre l'habitude de perdre ? Par la violence ? Par la drogue ? Ou par un balayage tranquille mais décidé du mental, pour reconnaître les ossements des pensées mortes et faire le ménage, porter les valeurs surranées, les conventions paralysantes, les idées vétustes, les drames saugrenus à la décharge publique ?

Comment perdre l'habitude de perdre ? Par le boycott en nappe. La Reconquête, les Compagnons me l'ont enseigné, sera fille d'un processus de rejet de l'ordre établi et de distance par rapport à ses composants. Éliminer ceux-ci systématiquement, progressivement, des contenus de l'existence quotidienne par un retour réfléchi vers la simplicité.

Comment perdre l'habitude de perdre ? Les Compagnons le vivent consciemment ou inconsciemment : par le refus de l'héritage. Un héritage est toujours conditionnant, puisque par lui on pénètre dans les coordonnées du passé au point que parfois on en oublie le présent et on omet ainsi de préparer l'avenir.

Comment perdre l'habitude de perdre ? Par la révolution sanglante, comme c'est la coutume, sans grand résultat d'ailleurs autre qu'un changement de décors, de personnages et de terminologie, mais avec la conservation des structures institutionnelles fondamentales, des hiérarchies, des relations entre les « puissants » et les « petits ».

Ou par le refus de l'héritage, l'abandon des vieilles nippes mentales, par la danse, le chant, la musique, la méditation, la réflexion, dans les pas d'un esprit joyeux ? Car la danse, le chant, la musique, la méditation, la réflexion, sur un socle de résolution, sont plus puissants que la guerre, plus puissants que les tyrans.

Il n'y a, dès lors, plus de pot de fer, plus de pot de terre, mais seulement des pots qui, indistinctement, reçoivent toutes les expressions de la vie.

Lettre n° 104

N'entendez-vous pas le cri de la mort du monde ?

La Terre le répète inlassablement, désespérément, à tous les carrefours de la Citadelle.

« Que faut-il faire pour que vous le compreniez ? »

« Que faut-il vous dire de plus si le spectacle des dévastations et des tueries ne constitue pas un argument suffisant ? La confrontation quotidienne avec la panoplie des misères matérielles, physiologiques, spirituelles, n'est-elle donc pas suffisamment éclairante ? »

La Terre le crie :

« Bonnes gens, si le massacre des animaux par la chasse, leurs tortures dans les laboratoires, dans les élevages, dans les arènes, par les pièges, si leur abandon par centaines de milliers vous laissent indifférents ;

« Si le destin tragique des forêts saccagées, des océans, des rivières, du sol empoisonnés est un drame qui ne vous atteint pas ;

« Si la faim de populations entières n'enlève rien de votre bel appétit ;

« Si vous ne vous sentez pas concernés par les tueries entre hommes, par les tortures infligées un peu partout à des êtres humains — reflets des sévices infligés aux animaux — par la brutalité et l'exploitation supportées par certains enfants ;

« Si, enfin, le spectacle de la dégénérescence dans la conduite habituelle de la vie, de la déliquescence spirituelle, de l'enflure du désespoir chez beaucoup, ne bouleversent pas la belle ordonnance de votre existence quotidienne et ne perturbent pas vos projets de vacances, peut-être serez-vous intéressés, qui sait, par votre propre destin ?

« Car, bonnes gens, autant que vous le sachiez, chaque pouce carré dévasté sur la Terre trouve sa projection dans un pouce carré dévasté en vous-même ; chaque atteinte au respect de la vie frappe de plein fouet le respect qui vous est dû, et dont vous constaterez un jour qu'en réalité il est nul.

« Bonnes gens, n'entendez-vous vraiment pas le cri de la mort du monde ? Il jaillit pourtant près de vous, là, sur votre paillasson ! »

*
*   *

Lettre n° 105

Comment être plus bas que ceux qui sont tout en haut ?

Cet homme, qui se tenait debout dans une rue, était l'image caricaturale d'un assassinat.

Il était là, peu importe la ville, immobile, de l'accablement plaqué sur son visage, de la solitude plein le cœur, une petite boîte dans une main, un stylo dans l'autre.

Assassiné par ceux qui préparent, dans l'ombre, de telles aliénations de la dignité pour mieux assurer leur pouvoir et leur condition. Assassiné aussi par lui-même pour s'être laissé attirer par des mirages, des mythes dérisoires.

La boîte avait un couvercle en verre et renfermait une vingtaine de caramels. Et l'homme attendait, silencieux, qu'on lui achetât ses caramels et son stylo, du désespoir accumulé au fond du regard, comme une eau lourde et noire.

La Citadelle est ainsi intelligemment organisée que de tels désespoirs sont souvent irréversibles, et qu'il n'est d'autre issue que de se saborder.

L'existence, pour certains, par tous les actes et à chaque instant, n'est qu'une longue agonie. Un combat aux confins d'un monde où tout est profané, germe de désolation et de mort, semence d'enfer et de malédiction.

Mais, cet homme, me demandai-je, qu'est-il ?
Un misérable ? Un pauvre hère ? Un déchet ?
Mais serait-il un déchet, un pauvre hère, un misérable, parce qu'il n'avait que vingt caramels et un stylo à vendre ? Alors qu'il eût

été un « homme bien », un personnage respectable, une personnalité peut-être, s'il avait possédé des caisses de caramels et de stylos ?

Ou bien tous, indistinctement, en fin de compte, ne sont-ils pas, les uns autant que les autres, les uns aussi bien que les autres, de pauvres hères, des misérables, pour se laisser aussi complaisamment asservir ? Pour s'agiter, tout au long de leur existence, comme un ascenseur dans sa cage, dans un va-et-vient incessant, entre les deux pôles de leur démission et de leur déshumanisation.

Ne sont-ils pas de pauvres hères, car n'est-ce pas dégradant de laisser à des politiciens — avec ce que ce terme m'a semblé comporter de péjoration — le privilège de préparer consciencieusement leur asservissement ?

Ne sont-ils pas de pauvres hères ceux qui se laissent acculer par la misère et qui, au lieu de la brandir comme une banderole, se cachent comme s'il s'agissait d'une maladie honteuse ? Alors que la honte est pour ceux qui laissent s'installer de telles calamités : ces hommes, ces femmes, pauvres hères qui s'abandonnent à leur pitoyable et détestable pulsion d'accumuler avec avidité, de posséder toujours plus, toujours davantage, insatiables, sans pour autant diminuer d'une once le poids de leur angoisse, de leurs peurs.

Mais, je le demande, comment font-ils pour entasser tout cela dans leur tombe ?

RØK

Lettre n° 106

Le nénuphar connaît sa mission. Et vous ?

Le fifre le demande :

« Croyants, incroyants de haute mer, quand appareillerez-vous vers des caps nouveaux ? Là où ne se distingueront plus les croyants des incroyants.

« Qu'avez-vous à parler de Dieu et à remplir des bibliothèques à son sujet, alors que lui se tait ?

« Que pouvez-vous savoir de Dieu ? Comment pouvez-vous prétendre qu'il ne pense qu'à vous et qu'il vous aime, vous très particulièrement ? Où êtes-vous allés chercher de telles inepties ?

« Pourquoi, si Dieu est Dieu, vous aimerait-il plus qu'un cloporte, une chenille ou un rat ?

« Les chœurs montent, puissants et solennels, vers les voûtes de vos temples. Mais qui vous autorise à croire qu'ils vont plus haut, plus loin que ces voûtes, alourdis qu'ils sont par le poids de vos hypocrisies et de vos incohérences ? Comment pouvez-vous prononcer le Nom de Dieu, alors que vous le piétinez par chacun de vos gestes et que vous le reniez par chacun de vos comportements ?

« Le problème est-il de déclarer " croire ", " ne pas croire ", ou de respirer avec les jours qui vous sont accordés et d'enlacer les forces qui gravitent autour de vous et en vous ?

« Croire, ne pas croire, c'est une autre façon de se désunir, de se quereller, de se distinguer. En fait, cela a-t-il un sens ?

« Croire, ne pas croire, est-ce le problème ? La réalité, c'est l'instant. L'instant est l'îlot sur lequel vous vous tenez debout, tous ensemble, avant qu'il ne disparaisse, alors que surgit l'îlot de l'instant suivant, avec plus rien en arrière pour vous réfugier, et encore rien devant pour fuir, entourés que vous êtes par des ténèbres dont vous n'avez rien à savoir mais tout à attendre.

« Vous êtes là, en cet instant. C'est cela l'important et non vos querelles. Pourquoi inventer ce qui peut vous faire oublier votre condition, à commencer par déclarer que vous croyez ou que vous ne croyez pas ? Vous êtes ici d'instant en instant, d'îlot d'existence en îlot. Vous avez une mission à remplir, alors répondez-lui. Et pour cela, commencez par vous demander en quoi elle consiste. Non en faisant des discours savants, toujours plus de discours, des torrents de discours, mais en interrogeant autour de vous ceux qui savent : les arbres, les fleurs, les étoiles.

« Puisqu'ils en connaissent autant que vous devriez en savoir, qu'avez-vous à vous hausser du col et à vous imaginer que vous êtes les créatures choisies de Dieu ?

« C'est alors que vous aurez fait un pas vers votre survie, car Dieu ou pas Dieu, la vie est ici et vous devez l'aimer. Telle est la mission.

« Pourquoi ? Vous le saurez sans doute un jour. Ailleurs... Ce serait, évidemment, préférable que ce soit maintenant. »

« Que cela soit entendu. »

Et le fifre se tut.

*
*   *

Lettre n° 107

Quand le sablier se renversera, la lie se taira

La Terre le demande :

« Qui tient dans sa main l'unité de la mesure du monde ?

« Qui pourra m'expliquer ce que je vois, ce que je subis, ce qui sera peut-être ma mort ?

« Entre ceux qui m'aiment et m'enchantent, et ceux qui m'agressent et me désespèrent, qui possède l'unité de la mesure des comportements, des pensées, des modes d'existence, des sentiments à mon égard, avec les choses et les êtres que j'aimerais tant pouvoir protéger ?

« Pourquoi sont-ce les tueurs, les destructeurs, les pulsions de la sauvagerie qui imposent partout le déploiement de leur domination, de leur conception de leur existence, la teinte rouge sang de la barbarie ?

« Pourquoi ceux qui ont compris les liens qui les unissent à moi ne sont-ils pas entendus, et est-ce la lie qui répand tranquillement son poison et son venin ?

« Pourquoi s'adresser à eux, s'ils ne sont accessibles qu'à la violence ? Pourquoi s'épuiser à leur faire entendre raison, si la raison leur est étrangère ? Et qui est responsable de ce gâchis sinon ceux du Pouvoir qui les encouragent ?

« L'unité de la mesure du monde, chante le fifre, basculera vers un autre entendement lorsque les Compagnons de la Reconquête installeront un ordre fondé sur les trois piliers de l'éthique, de la sagesse et de la connaissance authentique de la vie. »

*
* *

Lettre n° 108

Certains arcs-en-ciel ne s'éteignent jamais

La petite fille était assise au pied d'un arbre mort. Elle aimait cet arbre. Il était beau avec ses branches immobiles, dénudées, debout dans la vallée, au-delà des vicissitudes de ce monde, impassible devant le froid, la sécheresse, serein, proposant le même visage à la ronde des saisons.

Son père avait voulu l'abattre.

— C'est idiot de laisser cet arbre au milieu des champs...

Les adultes ne comprennent rien à la grandeur des choses. La petite fille avait tellement insisté que son père, obéissant à ce qu'il estimait être un caprice ridicule, lui avait laissé son arbre.

Après l'école, elle allait auprès de lui avec son chien, un brave bâtard qui ne servait à rien à la ferme, mais qui savait magnifiquement s'amuser.

Quelles parties ils faisaient tous les trois ! La petite fille et son chien, tournant, sautant, riant aux éclats, autour de l'arbre ! Jusqu'à ce que, fatigués, ils se laissent tomber et s'assoient, en s'appuyant contre le tronc de l'arbre, qui semblait se réchauffer au contact de leur joie.

Chaque retour de l'école était un moment de fête. Le chien courait au-devant d'elle, jappant, aboyant, sautant sur elle.

Un jour, elle ne retrouva pas son chien.

Elle le chercha, l'appela, alla auprès de l'arbre qui la regarda tristement, n'osant pas lui dire que son chien avait été emporté.

Un individu, c'était bien connu, volait les chiens dans la région, les vendait dans ces repaires de tortures où, entre les mains de gens aux bas instincts, ils mouraient au nom de grands principes.

La petite fille, assise auprès de l'arbre mort, songeait à son chien et sursautait en croyant l'entendre aboyer.

Le chien, recroquevillé dans une cage, prostré, le regard perdu au loin, au-delà des barreaux, voyait la petite fille assise auprès de l'arbre mort.

Il était inscrit sur le tableau des expériences pour le lendemain. C'était une expérience qui avait été réalisée cent fois ici, mille fois ailleurs. Une expérience qui ne servait à rien mais que l'on faisait par habitude, pour se donner une contenance, comme cela, en pensant à autre chose.

Il était convenu que le chien ne devait pas se réveiller. En somme, il avait de la chance...

Un peu avant les labours, le père abattit l'arbre mort. La petite fille alla encore une fois s'asseoir sur le tronc mutilé de son ami.

Sa dernière pensée, une soixantaine d'années plus tard, juste avant de mourir, fut pour l'arbre et pour son chien.

C'est parce qu'il existe de tels grands amours silencieux que la Terre accepte de tourner encore...

Lettre n° 109

Des couloirs d'acier pour des êtres mous

« Ami, ne sens-tu pas le sol qui tremble sous tes pieds ? me demanda un jour le vieil homme. Ce que tu sens, c'est la chevauchée des enfants de Caïn.

« Ami, n'entends-tu pas les notes du tocsin ? Elles se répercutent de colline en colline, se fracassent contre les montagnes, rejaillissent dans toutes les directions, inondant les vallées, franchissant les mers de leur vacarme sauvage.

« Ce que tu entends et ce que tu sens c'est l'assaut de ceux qui sont avides de tout dévorer, de tout posséder, pour le broyer, le pulvériser et le remodeler, selon les canons de la violence et de la cruauté.

« Ami, où que tu puisses aller, tu rencontreras l'ombre d'un esprit qui ne sait pas se contrôler, qui donne libre cours à son avidité de dominer, qui ne connaît aucune autre relation que le rapport de force, et interpose entre le ciel et la terre la nappe obscure, visqueuse et nauséabonde de ses mensonges, de sa fourberie, de sa férocité, de son absurdité.

« Peut-être as-tu vu un chat jouer avec une pelote de laine et la dévider ? Les fils de Caïn, eux, ont joué à dévider l'écheveau de leurs murailles. Elles ont couvert toute la Terre pour enfermer choses et êtres dans la Citadelle caïnocratique.

« Il n'est plus un brin d'herbe, pas un ver de terre, pas un arbre, pas une montagne, une rivière, un homme, un peuple, qui ne soient prisonniers.

« De la Terre, les fils de Caïn ont fait un camp de concentration. Partout les clameurs du tocsin sonnent les rassemblements pour les grands massacres, pour les ruées vers les servitudes, vers les carrefours des déshumanisations, des dénaturations, pour les plongées dans les charniers, dans le bain des eaux mortes.

« Pas un pouce carré de la Terre n'a pu échapper à ce viol planétaire. Là où tu passeras, tu ne verras que des gens asservis.

« Fais le tour des murailles, une fois, deux fois, dix fois, tu ne trouveras pas une issue. La Citadelle a la dimension de la Terre.

Quelle place pourrait s'offrir pour l'évasion ? Le ciel, diras-tu ? Mais regarde les oiseaux : eux aussi sont prisonniers.

« Ami, je ne sais d'où tu viens ni qui tu es. Si tu n'es pas d'ici, alors raconte bien ce que tu vois. Mais prends garde, car les étoiles ne te croiront pas...

« Demain, ami, je te raconterai une histoire. Il existe une issue et je la connais. Je te dirai où elle est... »

*
* *

Lettre n° 110

Pourquoi vivre comme des imbéciles ?

La Terre vacille sous la pesée des mercenaires.

Klaanah, je suis dans un monde où chacun se prostitue, vend son temps, sa vie, son labeur, sa peine.

Je regarde ces gens et je leur demande :

— Vous aimez ce que vous faites ?

Non, ils n'aiment pas.

Mais encore, et c'est plus grave, ils sont capables de faire n'importe quoi : conduire des machines qui saccagent la nature, construire toutes sortes de choses pour tuer, empoisonner, abrutir, dévaster.

Le vieil homme les regarde, lui aussi.

« Le travail est devenu de la prostitution. Il dégrade l'homme parce qu'il n'a plus d'autre signification pour la majorité que de gagner de l'argent. Toujours plus d'argent pour ceux qui en sont déjà gavés et qui feraient n'importe quoi pour en avoir davantage ; un peu d'argent pour ceux qui en sont dépourvus et qui feraient n'importe quoi pour ne pas sombrer dans le marécage social.

« La survie, sur cette Terre, mon ami, ne pourra être qu'à la condition d'extirper le travail hors de la condition des hommes, comme on extrait une tumeur d'un organisme.

Le chaos est une dimension de l'existence ;
il a la parole dans l'Assemblée des forces de la vie.

« Pour assurer la survie de ce monde, la Terre le demande, le travail doit laisser la place à des activités civiques. La société actuelle doit se retirer devant la venue d'une communauté où la compétition déchaînée, la concurrence sauvage, l'hostilité généralisée, l'égoïsme paralysant et démoralisant se perdront dans le delta de la solidarité en acte.

« La Terre l'affirme : si l'on vit ensemble, on doit ensemble œuvrer pour que l'esprit et le dynamisme de cette communauté apportent l'équilibre à chacun, n'entravent pas l'épanouissement ni l'accomplissement de tous.

« Alors que du travail on a fait un enfer, une activité pénible, souvent harassante, ce qui a motivé la distinction entre le travail et les distractions, l'activité civique, dans une communauté, ne se dissocie pas du jeu, parce qu'elle est un jeu.

« Les Compagnons de la Reconquête doivent se désolidariser du travail pour participer, se sentir responsables de l'architecture du monde à venir. Et que cela s'opère dans la joie et dans la fierté de dessiner une fresque nouvelle de l'existence. Une fresque où l'on ne verra plus des hommes s'entretuer, des hommes moisir dans leurs taudis, des hommes accomplir toutes sortes d'horreurs, mais où apparaîtront les couleurs rafraîchissantes d'une longue suite d'aurores révélant à chacun le sourire de la Terre.

« Et que ceux qui ne croient pas en la venue de tels jours gracieux se débattent dans le chaudron des sorcières où mijotent la malveillance, la sottise, les cauchemars.

« Parce que les aveugles ne voient pas le lever du soleil, est-ce une raison pour croire qu'il ne se lèvera pas ? »

*
* *

L'enfant hurlait dans la nuit. La Terre hurlait avec lui.

*
* *

Lettre n° 111

Le vieil homme et le cheval

L'homme et le cheval avaient vieilli ensemble.

Ils étaient cultivateurs tous les deux. Certes, le cheval faisait de petits travaux, en rapport avec le troisième âge qu'il avait atteint, mais il les accomplissait vaillamment.

L'homme et le cheval étaient de vieux copains. Ils se racontaient des histoires connues d'eux seuls et qui les faisaient rire. Au fond, c'était plutôt des histoires de galopins.

— Tu t'souviens, Alfred, quand on disait à la patronne qu'on allait travailler et qu'on s'mettait derrière le Collet Blanc pour faire la sieste ?

C'est vrai qu'Alfred avait été supplanté par le tracteur. Avec ses pattes arthritiques, son léger emphysème, il ne pouvait évidemment pas lutter avec les chevaux du tracteur, lequel, pétaradant et crachant sa suffisance par son tuyau d'échappement, semblait le narguer.

N'empêche qu'il sentait mauvais et que la conversation avec lui laissait à désirer. Quelle blague voulez-vous faire avec un tracteur ? Alfred le considérait comme un être fruste et inévolué, mais il ne le disait pas, de crainte d'attrister son maître.

L'Alfred, il avait une âme, mais le tracteur qu'est-ce qu'il avait dans ses cylindres ?

Et, ma foi, l'amitié et la complicité entre l'homme et le cheval s'écoulaient paisiblement au fil des années, jusqu'au jour où, dans un mauvais chemin, Alfred, qui sommeillait peut-être un peu, tomba en traînant la charrette.

Pour le relever, l'homme le détela et Alfred revint péniblement jusqu'à l'écurie.

Le vétérinaire, après l'avoir examiné, déclara :

— Mon vieux, ton cheval il ne pourra plus travailler, c'est sûr. Mais il pourra marcher tout en boîtant. Alors c'est à toi de décider : tu le gardes ou c'est l'abattoir…

Le vétérinaire était un brave homme. Il était de ces vétérinaires qui aiment les animaux. Il en reste encore...

Le soir, à la soupe, l'homme, le regard perdu dans un lointain énigmatique, ne parla pas d'Alfred. D'ailleurs, personne ne parla d'Alfred. Même pas son fils.

Ce ne fut que deux jours plus tard qu'il dit à sa femme et au fils :

— L'Alfred, faudrait voir. P't'être bien que j'devrais l'emmener à l'abattoir ?

La femme, après un long moment de silence, remarqua :

— Si tu crois... Pour l'Alfred ça s'ra pas la fête.

Ça c'était vrai, pensa l'homme. Pour l'Alfred, aller à l'abattoir, c'était quand même embêtant.

Quelques jours passèrent et on ne parla pas d'Alfred. Celui-ci marchait assez péniblement mais il pâturait néanmoins et ne semblait pas souffrir.

Pour le fils, garder un animal qui ne rapportait pas, c'était contraire aux règles de la rentabilité. Lui, il était pour les méthodes modernes. Emmener les vaches avec les veaux dans les prés, ces quelques poules dans la cour, c'était « con ».

Il se voyait à la tête d'une exploitation de production à l'échelle industrielle d'œufs programmés, standardisés, pondus à la chaîne, en cadence, réglés par un mouvement d'horlogerie informatisé, par des poules moribondes, déplumées, becs coupés, immobilisées dans leur quatre cents centimètres carrés d'espace vital grand standing, jusqu'à leur mutation finale, sous forme de broyat de bouillon de poule.

Il imaginait des hangars immenses, à air et à lumière conditionnés, s'étendant jusqu'à l'horizon, avec des veaux emprisonnés dans l'obscurité, muselés, train arrière surélevé, condamnés à ne sortir de leur cellule que pour être abattus, sans avoir jamais vu un brin d'herbe ou le lever du soleil ni humer l'odeur des prés.

Un soir, l'homme refusa la soupe, refusa le fromage.

— T'es malade ? demanda la femme.

— Demain, j'emmène l'Alfred à l'abattoir...

Puis il se leva et alla se coucher. Mais il ne dormit pas de la nuit.

Le lendemain matin, il accrocha la bétaillère à la camionnette et alla chercher Alfred dans l'écurie. Il lui donna de petites tapes sur la croupe.

— Allons, Alfred, viens...

Mais Alfred le regarda et ne bougea pas. L'homme s'énerva :

— Enfin, mon gars ; fais pas d'histoire...

Alfred le regardait et se mit à trembler.

Ce n'est qu'après bien des efforts et une avalanche de jurons que l'Alfred se dirigea vers la bétaillère, avec la résignation du condamné qui marche vers le peloton d'exécution.

L'homme s'assit et s'appuya sur le volant, accablé.

Alfred, c'était un bon copain. C'est quand même dégueulasse ce que tu fais là ! pensait-il.

La femme n'était pas sortie ce matin. Les poules attendaient.

— Et puis merde... cria l'homme en mettant le contact.

Il y avait environ une quarantaine de kilomètres jusqu'à l'abattoir.

L'homme roulait doucement pour que l'Alfred ne soit pas trop secoué.

Ils avaient fait la moitié du trajet lorsque l'homme s'arrêta. Il alla vers la bétaillère pour voir Alfred. Le cheval tremblait de tout son corps. Il tourna la tête vers l'homme. Il y avait une telle densité d'angoisse dans son regard que l'homme sentit une boule s'installer dans sa gorge.

Ils restèrent ainsi quelques minutes.

— Alfred, mon gars, on rentre à la maison.

Il le caressa et il lui parla un long moment. Alfred, peu à peu, cessa de trembler. L'homme remonta dans la camionnette, fit demi-tour et, doucement, reprit la direction de la ferme.

Dans la cour, la femme donnait à manger aux poules et aux canards.

— T'es d'jà d'retour ?

— Oui, j'ramène l'Alfred...

Il aida le cheval à descendre de la bétaillère et l'emmena vers le pré.

Le fils lui dit :

— C'est vachement con c'que t'as fait là !

L'homme lui répondit :
— J'préfère qu'ce soit vachement con qu'si j'étais vachement salaud...
Et il s'en alla en sifflant, tout content, mettre son tracteur en route.

*
* *

Lettre n° 112

Une flamme pâle dans un chandelier de rêve

La Terre le demande : « Qui a inventé l'espérance ? »
« Pour l'espérance, aujourd'hui n'existe pas. Aujourd'hui a toujours été le témoin des désespérances.

« L'espérance déploie ses promesses éblouissantes dans la texture évanescente d'une brume impénétrable, insituable, insaisissable, fuyante.

« L'espérance marche du même pas que celui, que celle qui courent après elle. Elle chante, là-bas, l'annonce d'un demain qui ne se lèvera jamais. Pas trop loin pour qu'on puisse l'entendre. Elle danse à quelque distance, pas assez loin pour devenir invisible, pas assez près pour pouvoir saisir sa main.

« Chaque matin, elle est présente au chevet de celui, de celle qui croient en elle. Elle s'écarte dès qu'ils sont réveillés, pour recommencer le jeu de la veille, de l'avant-veille, de toujours.

« Mais quelle importance ? Tout jeu a ses règles et la règle du jeu de l'espérance est d'installer une chimère, un mirage à cent pas devant.

« L'espérance est apparue, m'a dit le vieil homme, le jour où ce Peuple est resté un enfant, après avoir arrêté sa croissance, en cessant de gravir le chemin abrupt de la maturation. Il s'est alors recroquevillé dans la matrice d'une Mère possessive, à l'ombre d'un Père ficelé après la carcasse de toutes les peurs de ce monde. »

La Terre le dit :

« L'espérance est le germe des démissions, des abandons, des attentes. Dans la trace de l'espérance, l'édifice de l'existence se lézarde et s'écroule ici et là. L'espérance crée partout où elle s'exprime une aura d'endormissement.

« De toute façon que peut-on espérer, si ce que l'on fait est aux antipodes de ce en quoi l'on espère ? »

*
* *

Lettre n° 113

Quand le Peuple s'est arrêté...

Le vieil homme m'emmenait au sommet d'une colline qui dominait un quartier de la Cité.

« Les portes de la Citadelle sont gardées, les pistes sont surveillées, les points d'eau empoisonnés et les repères détruits. Où que tu ailles, tu constateras que chaque arpent de la Terre est sous la domination de l'esprit de la Citadelle.

« Parqué à l'intérieur des murailles, que peut comprendre le Peuple sinon le langage de la Citadelle ? Depuis sa naissance il a été éduqué dans ce sens. Ce qui n'est rien de plus qu'une normalité lui apparaît ainsi comme la marque du normal. Que peut être l'existence pour lui sinon la fausse réalité qui s'exprime et s'impose ici ?

« Or cette existence se déploie dans cinq dimensions : les quatre dimensions de l'espace et du temps et la dimension de la pensée.

« Les cinq dimensions, c'est le règne de l'avoir, de la possession, de l'accumulation. Celui qui possède n'a de cesse d'accumuler davantage. Celui qui ne possède rien ou peu n'a de plus urgent souci que d'accéder au plan de la consommation. Une fois qu'il s'y trouve, il devient insatiable.

« Les cinq dimensions, c'est le règne de la recherche du pouvoir, de l'avidité de puissance de la part des uns, de la sujétion au pouvoir, du désir d'être commandé de la part des autres. Les cinq dimensions sont placées sous le signe de la prééminence de l'homme sur la Terre.

« L'existence, dans ces cinq dimensions, est la réduction de toute écoute aux seules vociférations de l'intellect. Celui-ci commande selon sa fantaisie, selon les méandres de son délire, les convulsions de son imagination, et il sème le désordre en ligne sur toute la Terre, comme des petits pois, comme des pommiers.

« Aussi loin que l'on regarde, dans quelque lieu où l'on puisse aller, dans des décors différents, on voit les mêmes gesticulations, de l'agressivité ou de la soumission installées au fond du regard.

« L'existence dans les cinq dimensions se développe sans autre attache que des racines qui plongent dans la substance de la matière avec, pour accrocher ses espérances, des fantasmes de sacralité pétris dans la texture même de cette matière. »

Nous étions arrivés au sommet de la colline. Le vieil homme me montra le panorama.

« La Terre semble vaste mais, en réalité, c'est une boule minuscule. Les horizons paraissent t'inviter à aller où bon te semble. En fait, tu rencontreras partout des frontières, des hommes en uniforme, bottés, armés, qui gardent on ne sait pas très bien quoi.

« Nous sommes ici, au sommet de ce monticule. Tout est calme. Si tu regardes en bas, les rues de la Citadelle te sembleront calmes également. Or, tu sais qu'il n'en est rien. Reste ici quelque temps et tu constateras que le calme n'est qu'apparence, car des hommes bottés, armés viendront te chasser et, peut-être, si tu n'as pas un lieu où te loger, t'emprisonneront-ils. La Terre tout entière est en état de siège. Pourquoi ?

« Tu le sais. Tout ce qui existe dans l'univers a été créé en six jours. Ces six jours ont représenté le Temps de la gestation du monde. Au terme de ces jours, le monde est né. Dès lors, il appartenait à tout ce qui avait été engendré de vivre conformément aux lois de ce monde.

« C'est ainsi que l'univers entrait dans le septième jour, qui est le Jour de l'accomplissement des forces mises à la disposition de la dynamique de la vie.

« De ce bouquet de forces, disposées comme autant de fleurs, ce Peuple s'est saisi de cinq d'entre elles et les a installées dans sa Citadelle, en guise de vase. Fasciné, il s'est laissé bercer dans la

L'homme, la nature et l'animal sur la même planète ; l'homme étant ce qu'il est, a été et demeure la plus grande erreur de Dieu.

contemplation de ce bouquet, il s'est peu à peu enfoncé dans les méandres de son désarroi.

« Toutes les choses, tous les êtres, autour de lui, ont pénétré dans le septième jour. Seul ce Peuple s'est enfermé dans le sixième jour.

« Le Peuple du sixième jour, ce sont ces gens que tu vois, avec leurs misères, leur frénésie tendue vers on ne sait trop quoi, dans le cadre d'une géométrie mentale qui s'impose à lui comme la seule géométrie possible, imaginable ; la seule qui s'accorde avec la Réalité, avec un grand R.

« Mais cet échafaudage mental ne réussit pas à tenir debout la sérénité ni la joie. Tout au long de leur existence, les hommes, de son histoire, ce Peuple, traînent derrière eux une écharpe de tristesse. Sans doute, me demanderas-tu, qu'est-ce qui manque donc à ce Peuple pour atteindre le septième jour, surmonter cet ennui et mettre un terme à l'affliction de la Terre ? Eh bien ! Réfléchis à cela : si pour obtenir une teinte, un certain nombre de couleurs sont nécessaires, l'obtiendras-tu si une ou plusieurs de ces couleurs sont absentes ? La teinte de l'existence de ce Peuple est celle d'un monde amputé de l'une de ses dimensions. Je t'en parlerai un autre jour. »

*
* *

Lettre n° 114

Ce jour-là, les fleurs se sont fanées

Un filet de tendresse s'écoulait doucement de Lucie vers moi, de moi vers Lucie.

Par moment, je pensais qu'elle allait survivre. Des gens bien intentionnés me conseillaient :

— Elle est aveugle, vous devriez la faire « piquer »...

En fin de compte, ce n'était pas celui ou celle qui avait lancé l'acide qui était répréhensible. C'était moi qui la maintenait en vie, bien qu'elle fût aveugle.

Klaanah, j'ai remarqué que depuis quelque temps on a tendance ici, à « piquer » — autrement dit, à tuer froidement — les animaux avec une grande facilité. Jusqu'au moment proche, sans doute, où l'on « piquera » les humains encombrants.

Un dimanche matin, au réveil, Lucie avait du sang dans la bouche. Elle respirait difficilement. Je compris alors que non seulement les yeux, mais le tube digestif, l'appareil respiratoire avaient été brûlés par l'acide.

Lucie s'apprêtait à me quitter.

Notre tendresse réciproque était comme un plan d'eau retenue par un barrage. Nous avions en nous un plan de tendresse qui aurait désiré couler longtemps, jusqu'à des jours lointains.

Mais les vannes se fermaient devant mes yeux. Notre immense retenue de tendresse allait cesser de nous apporter, à l'un et à l'autre, une paisible félicité.

Vers midi, j'entendis son dernier souffle.

Ce fut une mort très calme, un retour tranquille vers la Maison de l'Origine.

Pourquoi pleurais-je ? Son cœur continuait de battre partout : dans le minéral, dans les étoiles, dans l'arbre au pied duquel je l'enterrai.

Pourquoi pleurais-je puisqu'il y avait chez Lucie les forces de l'éternité ?

Lettre n° 115

Chacun porte son petit paquet de regrets

« Le Commencement est au début, non en cours de route. »
Pourquoi le vieil homme avait-il fait cette remarque, laquelle,
au demeurant, m'avait semblé aller de soi. Mais je me trompais.

« La naissance est généralement considérée comme étant
l'événement à partir duquel commencent les problèmes humains.
En effet, la naissance, admet-on, est la première expérience d'être
jeté hors-de : hors de la matrice de la mère dans l'existence. C'est
une expérience qui pourrait être traumatisante pour le nouveau-né,
car il passe d'un état de protection à un état de semi-autonomie,
d'une existence close et limitée à une existence ouverte sur le
monde avec tous les dangers que cela représente.

« On estime que les vicissitudes de ce passage peuvent laisser
des traces dans la vie ultérieure de l'adulte. Cependant, vois-tu,
l'enfant qui naît a été préparé pendant neuf mois à supporter cet
événement. A moins d'incidents ou de comportements inadéquats,
la naissance ne devrait pas représenter un problème majeur.

« On pense que le séjour dans la matrice n'est pas nécessairement aussi calme qu'on l'imaginait. C'est ainsi que le commencement des causes de détresse a reculé de la naissance vers le temps
de la grossesse. »

Le vieil homme garda un moment le silence, puis il poursuivit :

« Pourquoi ne pas aller encore plus loin dans la remontée du
temps et atteindre ainsi l'instant de la conception ? Car cet instant
est-il simplement le témoin d'un mécanisme physiologique, ou ne
renfermerait-il pas un contenu plus essentiel ?

« Que se passe-t-il en cet instant où l'être apparaît dans ce
monde et reçoit la vie ? Tout effet a une cause, une origine.

« Quelle est l'origine de cet être vivant ? Le Néant ou un Ailleurs dont on ne sait rien ?

« Quelle est la cause de cette venue sur la Terre ? Le Néant
peut-il renfermer une cause possible ? Quel est l'effet qui pourrait
jaillir du Rien ?

« Quelle est donc la cause qui serait contenue dans un Ailleurs énigmatique et incertain, dont l'effet est précisément la venue, ici, dans l'existence ?

« La vie est-elle un présent ou une punition ? Le don de l'existence doit-il être considéré et interprété comme un privilège ou comme une malédiction ?

« Quelle signification peut-on découvrir dans une existence qui se déploie entre le Rien pour Origine et le Rien pour aboutissant ?

« Quelle mission peut-on dégager d'une existence qui décrit sa trajectoire en ellipse, depuis un Ailleurs à la naissance, jusqu'au retour à l'origine, à l'instant de la mort ?

« Englouti dans le marécage social, ce Peuple ne se pose guère de questions. Pour la majorité, la mission, la signification de l'existence, naît et disparaît avec elle, dans les limites de la Citadelle, et coïncide avec les activités de l'existence quotidienne. »

Le vieil homme garda un instant le silence, puis il poursuivit :

« En général, je ne parle pas de ces choses. Les gens sont trop affairés pour écouter de tels propos, car ils évitent d'ajouter des problèmes de ce genre à la collection de leurs soucis. C'est bien là un des pièges de leur condition : être à ce point accaparés par l'insignifiance qu'ils n'ont aucun moment à consacrer à l'essentiel. De telle sorte qu'ils soient prisonniers d'une certaine façon de vivre et qu'ils soient leurs propres geôliers.

« Toute l'activité de ce Peuple, par sa dérision même, considérée d'une certaine hauteur mentale, est comme si elle n'existait pas.

« Je regarde cette touffe de primevères accrochée entre deux rochers. Quelle merveilleuse activité dans cette immobilité apparente !

« Je regarde ce Peuple dans son mouvement incessant : quelle immobilité dans cette agitation ! »

Le vieil homme me regarda et me sourit :

« Mon ami, toutes ces choses que tu vois autour de toi t'étonnent. Tu dois les écrire à ceux qui t'ont envoyé, telles qu'elles sont, mais peut-être ne te croiront-ils pas ?

« Cependant, tu ne dois pas te laisser tromper par ce que tu observes. La réalité est ailleurs. Tout cela n'est que fantasmes. Derrière tout ce bruit il y a un grand silence, une inquiétude en retrait, étrangère aux événements de ce monde, présente partout, une tristesse qui se dessine en surimpression, même là où semblaient se manifester la joie, la gaieté. Elle est tapie dans chacun des soupirs de la vie, jusque dans le cristal d'un éclat de rire. Et, flottant au-dessus de cette mélancolie, une nostalgie : celle qu'éprouvent les enfants abandonnés, qui ont perdu jusqu'au souvenir de leur maison qu'ils voudraient pourtant retrouver.

« Écoute bien ce que je vais te dire. J'en parle à très peu. A quoi bon courir après ceux qui s'essoufflent ? N'est-il pas plus sage de s'asseoir au bord du chemin et d'attendre patiemment ceux qui viendront s'asseoir à leur tour ?

« A ceux-là je raconte une histoire fabuleuse qui les reconduit là où reposent les fondations de leur existence. C'est une jolie promenade aux sources de la vie et de son épanouissement, à la racine de cette nostalgie dont je t'ai parlé tout à l'heure.

« Remontons, veux-tu, jusqu'à l'instant de la conception. Regardons cet être qui vient d'être créé. Doit-on considérer la seule rencontre d'un spermatozoïde et d'un ovule, ou doit-on y voir l'énoncé d'un mystère impressionnant ? Dépositaire de tous les mystères de la vie ?

« Cet être est là, à l'orée de l'existence qu'il ne peut refuser de toute façon. Ce n'est d'abord qu'un très mince filet d'existence, qui coule pourtant avec impétuosité, à la poursuite de son devenir.

« Étrange situation que celle de cet être, abandonné ici, au centre du point d'un point d'interrogation ! Il a été déposé sur cette Terre, il ne sait par qui, comme sur une île inconnue, perdue dans un océan de vide. Il a franchi, il ne sait comment, la distance qui sépare le Pays de l'Avers du Pays de l'Envers. Mais, ce qui est certain, il est là, le dos au vide et l'existence qui se propose, devant lui.

« Du Pays de l'Avers il ne lui reste aucun souvenir. Peut-être à l'instant même où il est né ici, a-t-il été enterré là-bas ?

« Pour tout bagage, enfoui au foyer de son être, il porte un petit baluchon qu'il ouvrira plus tard. Cela, c'est tout ce qu'il lui reste de son pays d'origine. Une sorte de pécule qui lui a été remis et qui l'accompagnera toute son existence jusqu'à sa mort.

« De cette présence en lui naît justement sa nostalgie, une impression d'abandon, d'éloignement de sa Maison, une sensation de manque et parfois d'étrangeté dans ce monde.

« Il éprouvera l'impression non seulement d'avoir été jeté-hors-de, mais d'avoir été rejeté-hors-de son Pays de l'Avers dans le Pays de l'Envers.

« C'est ainsi que le baluchon s'ouvrira un jour, d'où jaillira une poignée de sentiments s'exprimant par des impressions mal définies d'insécurité, de culpabilité, de solitude avec, recouvrant le tout, de l'angoisse.

« Sentiments liés à la *condition* d'être ici dans l'existence, et non provoqués par une *situation* particulière.

« Insécurité de se trouver dans une existence inscrite entre deux points d'interrogation.

« Culpabilité d'avoir été rejeté, éprouvé comme une punition.

« Solitude de l'immigrant loin de son pays natal.

« L'ensemble compose une incomplétude qui se dresse au centre de l'être, comme une sentinelle aux avant-postes de l'existence.

« Si tout être vivant — hommes, animaux, plantes ou minéraux — en tant que réceptacle du sacré, est un temple, l'incomplétude est la petite lampe qui veille au centre de gravité spirituel de chacun de ces temples.

« Elle représente un avertissement, au sens duquel le passage dans ce monde n'est qu'une halte entre un rejet et un retour, et celle-ci doit être interprétée et considérée dans sa relativité, laquelle doit concerner tous les aspects de l'existence quotidienne.

« Elle est un rappel permanent selon lequel l'importance majeure doit être conférée à la mission essentielle qui est dévolue à tout être vivant, au cours de sa Traversée du Grand Désert de l'existence : savoir composer avec la vie, n'en jamais contrarier la perpétuation, en éprouver toutes les expressions, être un messager de la tendresse, un héraut venu du Pays de l'Avers, chanter l'indéfectible communion entre tous les êtres.

« Elle est le signal qui énonce à chaque instant que le prix du Retour est inscrit dans le respect de cette mission. »

Le vieil homme se leva et je le suivis. Nous allâmes auprès d'un petit plan d'eau sur lequel glissaient quelques cygnes, et s'ébattaient de mignonnes poules d'eau, plongeant et remontant avec vivacité. Des canetons nageaient avec application dans le sillage tracé par leur mère. Parfois l'un d'entre eux semblait vouloir s'échapper, pour vivre une aventure fabuleuse mais, soudain, comme pris de panique, il nageait éperdument pour rejoindre les autres, cependant que la cane le regardait sévèrement.

« Regarde ces petites bêtes et les poissons et les plantes qui sont là réunis. Sont-ils indépendants les uns des autres ou sont-ils liés entre eux de quelque manière ? Or, qu'est-ce donc qui les relie, sinon l'incomplétude, présente en chacun d'entre eux ? Elle leur indique le cap à suivre pour s'accorder avec l'intelligence qui leur est réservée et qui coïncide avec leur attachement aux lois qui leur sont propres.

« Est-ce donc si difficile ? Sans doute que non, mais cela exige une humilité certaine, l'acceptation d'être ce que l'on doit être, tel que cela a été signifié à l'instant de la conception et dans le Grand Livre de la Création.

« Cette signification, on la porte en soi, avec soi. On lui répond comme il importe qu'il lui soit répondu, et on parcourt ainsi la trajectoire de l'existence, conformément à l'essence même de sa destination authentique.

« Sinon, c'est le divorce, la dérive dans des espaces où l'existence se déforme, où l'être se dégrade, où le monde s'achemine vers une débâcle qui peut devenir irréversible.

« Ce Peuple a choisi le divorce, il y a bien longtemps. Il a construit sa route dans les dimensions de la désolation. Il a ainsi cru pouvoir rompre ses liens avec l'incomplétude et ses composantes.

« En réalité, elles sont là, debout, partout, et elles commandent. Les hommes ne sont que des marionnettes entre leurs mains s'ils ne savent pas composer avec elles. Aussi, pour ne pas les entendre et encore moins les écouter, ce Peuple s'est-il lancé dans une activité frénétique, dans un ensemble de comportements auxquels il confère une importance démesurée. Ce sont autant de tentatives vaines de faire taire l'incomplétude et de lui substituer les clameurs de son intellect emballé. »

Un canard sortit de l'eau et vint vers nous. Nous nous assîmes sur un talus. Le canard passa, digne et sérieux.

« L'existence dans la Citadelle est l'image d'une déroute, d'une fuite toujours plus éloignée des chemins du Retour. Elle se jette, au moment de la mort, dans un insondable abîme où, peut-être, il n'y a plus de retour. C'est une entreprise désespérée dont le but est de construire un édifice vidé de tout apport du Pays de l'Avers. Pour l'oublier, pour l'ignorer et s'évader ainsi de toutes les implications contenues dans cette incomplétude encombrante.

« Cependant, l'insécurité, la culpabilité, la solitude, témoins de l'Origine, sont présents et marquent leurs empreintes dans le regard de tous ces gens affolés, déconcertés.

« Ils font semblant de croire en cette existence artificiellement élaborée, mais en deçà de leurs réussites, de leurs activités, de leurs ambitions, dans les soupirs qui émaillent cette symphonie féroce, se fait entendre le murmure de leur incomplétude. Il ne reste alors, comme ultime recours, que le médicament pour continuer de pouvoir faire semblant... »

Une cane rejoignit le canard qui s'était couché à quelque distance. Il ouvrit un œil puis le referma. Peut-être boudait-il, la cane ne s'étant pas comportée comme il sied à une cane respectable ?

« Bien des hommes, bien des femmes, démoralisés, écartelés entre le langage de leur incomplétude et celui de la Citadelle, laissent leur angoisse investir leur existence. C'est la porte ouverte à la maladie.

« Les uns, en s'obstinant à vivre selon les règles du jeu de la Citadelle et à ignorer les appels de l'incomplétude, sont malades à leur manière. Les autres, en refusant le jeu social, s'abandonnent à l'influence de leur incomplétude pour composer divers types de maladies, où le désespoir est l'élément majeur.

« Certains artistes tentent de se libérer de la pression angoissante exercée par l'un ou l'autre des composants de leur incomplétude en la sublimant dans leur œuvre. Mais elle reste à leur côté, éprouvante et terrible.

« L'incomplétude terrasse ceux qui ne lui résistent plus.
« Elle inspire ceux qui essaient de la sublimer.
« Elle conduit au délire social ceux qui la refoulent.
« Comment espérer la survie dans un tel monde de malades ?
« Les Compagnons de la Reconquête ne doivent ni se laisser écraser par l'angoisse qui émane d'elle, ni chercher à la sublimer, ni la repousser. Ils doivent composer avec elle.

« C'est en la regardant en face qu'ils retrouveront leur identité et que, découvrant l'énoncé de leur mission sur cette Terre, leur insécurité, leur solitude, leur culpabilité s'évanouiront.

« Dès lors, l'éphémère revêtira sa grandeur authentique. Quelle peut être l'importance de l'éphémère sinon la signification qu'il renferme et la contribution qu'il apporte dans la construction de l'éternité ?

« Quelle peut être la mission la plus essentielle dans cette existence sinon d'assurer la survie sur cette Terre ? Et sur quoi peut-on fonder la survie et, partant, répondre au cri de la Terre, si ce n'est par une prise de conscience qui plonge vers les racines de l'être jusqu'à l'essentiel ?

« Retrouver l'essentiel, le pousser à l'avant-scène de l'existence devient le témoin miraculeux qui module cette chevauchée fantastique qu'est l'existence. »

*
* *

Lettre n° 116

L'enfant hurlait dans la nuit

Ses yeux démesurément ouverts fixaient des horizons inexistants. Le sang glacé de son village dévasté coagulait autour de lui.

Sur cette Terre mordue par la guerre, au cri de l'enfant dans la nuit répondait le rougeoiement des âmes détruites.

Le cri de l'enfant glissait à la recherche de son existence passée. Au milieu de la poussière des choses et des gens de son village il retrouva la source. Elle coulait tranquillement avec son gazouillis habituel.

L'enfant cueillit de l'eau dans ses deux mains réunies, la regarda, la but à petites gorgées. C'est alors que le cri de la Terre enveloppa le cri de l'enfant dans le matin naissant. Ensemble ils montèrent en spirale vers le septième jour et le firent éclore.

*
* *

Lettre n° 117

Des territoires nus pour des actes limpides

Le fifre le chante :

« Chacun doit marquer son chemin vers l'horizon qui l'appelle. Les repères posés par le Père sont couchés par terre ou, méconnaissables, sont devenus illisibles, à moins qu'ils aient tout simplement disparu.

« Les espaces sont vides. Il revient à chacun de danser selon son inspiration, de dessiner les images nées de son improvisation.

« Les corsets, qui donnaient son visage d'épouvantail à l'existence, tombent les uns après les autres. Les espaces sont nus. Il revient à chacun de les vêtir avec le langage des jours à naître.

« La vie est devant, les cimetières sont en arrière. Là où les rayons du soleil épousent la terre et l'eau, la vie éclate en une gerbe de notes et joue ses gammes innombrables, inépuisables. Qui marcherait avec les mouvements de cette symphonie, les poches remplies de tombes, la tête pleine de cadavres d'idées, de squelettes de lois, de poussières froides de pensées et de coutumes ?

« Dans le Temps des Mutations, chacun doit inscrire l'empreinte de ses pas dans le limon créatif de sa propre existence, dans un espace de fête.

« Sous le signe du Père, chaque pensée, chaque geste ne s'aventuraient jamais plus loin que les limites définies par l'ombre d'un étendard, par l'autorité d'un seigneur, d'un roi, d'un maître. L'ombre, l'autorité étaient le refuge, la sécurité. L'étendard, le maître, le seigneur, le roi étaient le guide, un signe du Père.

« Il y a du courage dans l'acte de lâcher un trapèze pour en saisir un autre, au-dessus du vide, et de l'incertitude. Il y a de l'héroïsme, semble-t-il, dans cette aventure qui consiste à quitter l'ombre d'un étendard et l'autorité d'un maître, pour aller là où il n'y a pas d'étendard ni de maître, dans un monde sans recoin pour se recroqueviller à l'ombre tutélaire des illusions. Mais, pourquoi serait-ce de l'héroïsme de retrouver la respiration des origines ?

« Que cela soit entendu. »

Et le fifre se tut.

Lettre n° 118

Des sillons pour de nouvelles fiançailles

Ce bonhomme, qui cherche-t-il à assassiner ?

J'ai lu quelque part, m'a dit la Terre, que « Ce matin, à l'aube, dos au vent, face à la mer, son fusil prêt à épauler, il scrute le ciel, se confondant à l'horizon avec l'eau de l'étang d'où va émerger le vol des canards roux. Dès qu'il l'aperçoit, calé derrière une touque ou un rocher, il épaule, prend en mire le premier vol, laisse bien " rentrer " le vol, dépasse la cible, continue de soulever le bras gauche et sans arrêter le mouvement, appuie sur la détente au moment où le vol passe au-dessus de lui. De trente à soixante mètres, deux cartouches " de 4 " ainsi tirées, sans arrêter le mouvement des bras, peuvent atteindre, non seulement l'oiseau visé, mais également un ou plusieurs des suivants. A bonne portée, si rien ne tombe, c'est que l'on n'a pas tiré assez devant. D'ailleurs, on s'aperçoit souvent que ce ne sont pas les premiers mais les derniers qui basculent. Cette chasse demande des tirs très devant pour *savourer* d'abord à la vue le col roux se détacher du vol et à l'ouïe le bruit de sa chute sur l'eau ou dans les roseaux. Mais le canard peut encore se faire désirer si blessé, il plonge et replonge, se tapit auprès de la berge : c'est là qu'on apprécie les services d'un bon cortal ».

« Ce bonhomme, a remarqué la Terre, comment fait-il pour ingurgiter une telle confiture de lâcheté et d'insanité ? Comment peut-il se regarder en face et, par surcroît, piaffer de satisfaction après avoir accompli des actes dans des conditions aussi sordides ? Quels atroces débris de pensées fait-il mijoter dans son cerveau délabré pour trouver matière à se glorifier d'avoir fait *basculer* ces canards en plein vol, d'avoir ainsi, d'une giclée de plombs, éteint cette flamme de vie ?

« Où est la gloire de viser un oiseau, alors que c'est un ou plusieurs autres qui tombent, de viser les premiers pour *savourer* de voir *basculer* les derniers ?

« La vérité est que ce bonhomme est malade, malade de la pire des maladies, celle que l'on ne croit pas utile de soigner.

Au fond des sillons tracés dans le limon des pensées neuves germent les graines du Renouveau.

« Un organe attaqué par le cancer, cela se sait et cela se voit. Un organe infecté, cela se connaît et cela se soigne. Mais comment intervenir sur la pestilence du cerveau si la précellence et la prééminence lui sont conférées ? »

C'est vrai, comment pourrait-on définir la maladie de ce bonhomme, sinon par l'insanité de son comportement ? Mais si cette insanité est encouragée par ceux qui font les lois, si parmi ceux-ci certains d'entre eux éprouvent du plaisir à pratiquer cette insanité, quel recours reste-t-il à l'égard de cette maladie ?

Ces canards, et tous les oiseaux migrateurs qu'il fusille au passage, doivent lutter pour accomplir leur migration dans des conditions toujours éprouvantes pour eux. Mais il paraît que le bonhomme qui les attend doit faire preuve d'endurance, caché dans sa cabane ! Qui peut espérer nous émouvoir à son sujet ?

Le canard n'affronte pas les intempéries pour se distraire, pour jouer au samouraï de chef-lieu de canton, mais par absolue nécessité. Il y a le froid, il y a le vent, les tempêtes, la faim, la fatigue, l'épuisement souvent. Et, en plus, il y a ce bonhomme et sa pétoire, planqué pour être assuré qu'ils ne le verront pas.

Les canards ont la prescience des événements bien avant qu'ils ne se manifestent. Le froid, le vent, la pluie, les saisons sont des compagnons habituels de leur existence. Ils savent suivre leur route magnétique sur des milliers de kilomètres, mais ils buttent inopinément sur la présence de ce bonhomme, dont ils ne se gardent pas, pour le motif que ce bonhomme n'est rien, qu'il est étranger aux événements majeurs du monde, qu'il est un accident déplorable sans relief dans l'histoire des choses, qu'il n'est pas repérable, parce que sans consistance, puisqu'il n'est inscrit nulle part sur les tablettes cosmiques. Il est planté là, incongruité dans l'univers, cherchant à sublimer ses actes avec des déchets mentaux puisés dans les décharges publiques de la pensée. Tout juste capable, comme tous les dégénérés éparpillés sur la Terre, utilisés par les gouvernements, les chefs d'État, d'appuyer sur une gâchette pour cracher la mort. L'acte, finalement, le plus simple qui soit.

Klaanah, quelle étrange situation ! Cet oiseau, venu de très loin, qui passe ou qui se pose, là, en cet instant, justement en ce lieu où se trouve ce bonhomme qui le fusille.

L'oiseau aurait volé un peu plus loin, hors de la portée du fusil, il aurait vécu. Son destin était de passer ici. C'était inscrit, m'a-t-on dit. Peut-être une rencontre de cet oiseau avec le froid, la tempête, la sécheresse, aurait-elle pu être inscrite sur on ne sait trop quel feuillet d'un énigmatique Registre cosmique ? Peut-être alors la mort de cet oiseau aurait-elle contenu une signification ? Mais, comment la rencontre entre l'oiseau et ce bonhomme pouvait-elle être marquée sur la trajectoire de son destin, puisque ce bonhomme n'est rien, du moins en tant que « chasseur » ? Il est ce que l'on appelle, je crois, un artefact, quelque chose qui ressemble à quelque chose mais qui, en fait, n'est rien en lui-même, une forme vague sans plus, une apparence.

Ce bonhomme n'est rien de plus qu'un doigt qui appuie sur une gâchette, pour répondre à sa pulsion de tuer. Mais cela n'est signifié nulle part, dans aucun Livre des Traditions universelles. Ce pitoyable pantin n'a de vie et de réalité que par des textes, des réglementations, des lois. Réalité fantasmatique, invention dérisoire et malfaisante.

Aussi la Terre lui demande-t-elle :

« Qu'est-ce qui t'énerve, bonhomme ? Que le canard soit là-haut, magnifique, admirable, traçant entre le sol et les nuages la majesté de son existence, alors que toi tu traînes ta pitoyable carcasse ventrue, arthritique, ton faciès défiguré par l'alcool et la trop grande bouffe, dans les méandres marécageux de ta condition désolante ? C'est cela qui t'énerve, bonhomme ? Mais oui, c'est bien cela.

« Car, lorsque tu épaules, qu'est-ce que tu veux vomir au juste ? Le sais-tu ? Tu vomis ce que tu exècres en toi, cette fraction de ton existence que tu n'as jamais acceptée, avec laquelle tu ne t'es pas réconcilié.

« Lorsque tu détruis une existence, c'est cette partie de toi-même qu'en fait tu assassines, tout en sauvegardant ton existence à laquelle tu t'accroches comme un naufragé.

« C'est vrai, tu n'éprouves aucune haine pour cet animal. Tu prétends même aimer les animaux. C'est quelque chose de plus grave, enfoui au fond de ton être que tu hais. Tu te pavanes, tu racontes tes exploits, tu cherches à te survaloriser et tu n'es qu'un épouvantail hystérique, affalé dans les campagnes, l'esclave d'un mécanisme mental dont tu ne peux être le maître puisque tu en ignores l'existence.

« Au fond, tu n'es même pas responsable. Ce sont ceux qui font les lois et les règlements qui te donnent vie et réalité. Tu es un pitre insignifiant, seules certaines lois qui te concernent te confèrent de l'importance.

« Tu es le témoin d'une mauvaise éducation, car c'est au cours de ton enfance que l'on aurait dû te réconcilier avec ton existence. Qu'a-t-on fait de toi, au juste ? Un rustre. D'ailleurs, qu'a-t-on fait de tous ceux, de toutes celles à qui l'on n'a pas appris les subtilités de la vie, qui ne savent pas entendre les accords majestueux de l'Ouverture à l'Existence ? »

C'est vrai, Klaanah, et cela m'apparaît chaque jour plus claire-ment, venir sur cette Terre n'est peut-être pas une référence. Je te l'ai écrit, Klaanah, à l'instant de la conception, il apparaît — du moins chez ceux dont les liens n'ont pas été rompus — que l'« ail-leurs », dont on a été rejeté, laisse son empreinte et sa marque en chacun des points de la trajectoire de l'existence, jusqu'à son retour à l'Origine. Cette présence, inscrite dans l'incomplétude éprouvée et assumée, confère à la vie une grandeur émouvante, dont on per-çoit la beauté dès l'instant que l'on sait écouter le murmure qui monte, depuis l'océan des transcendances, tout au long de la racine unique des êtres et des choses.

Il y a un arbre, quelque part, accroché dans des roches, en haut d'une falaise abrupte, d'une trentaine de mètres. Du pied de son tronc partent des sortes de lianes qui descendent jusqu'en bas de la falaise et plongent dans le sol. En fait, ce sont des racines qui apportent à l'arbre les sucs, puisés dans la Terre-Mère, nécessaires à sa survie.

Le visible, vois-tu, est à l'image de l'invisible. Cet arbre est un symbole visible des relations invisibles de l'existence, de la vie avec leur Origine, où elles captent les sucs transfigurants, garant de leur signification profonde et de leur authentique survie. Car la survie ne saurait être réduite à la simple mesure d'une survie dans le monde de l'Envers, mais elle se déploie dans la totalité des dimensions de cet Ailleurs-Mère.

Aussi, ai-je compris, cette vision doit-elle être éclairée dès l'enfance. Dès l'enfance où les résonances restent encore pures, avant que les valeurs factices, les conventions arbitraires, nées dans la Citadelle, ne les désaccordent, ne les recouvrent d'une épaisse couche de sédiments conditionnants ineffaçables.

Ce Peuple ne semble pas comprendre que sa survie a des exigences étagées sur différents niveaux, et que l'ensemble de l'édifice repose sur la réconciliation de l'enfant avec l'existence qui l'accueille.

Présentation de l'enfant au monde.

Présentation du monde à l'enfant.

Fiançailles de l'enfant avec les choses, avec les autres, avec lui-même. Pour qu'ils puissent, tous ensemble, cohabiter, cheminer pour le mieux et pour le pire, dans le cadre exaltant d'épousailles indéfectibles.

Jusqu'à l'instant de la mort, au terme de la Grande Traversée, qui est séparation ici, et retour vers la Maison de l'Origine. Regarder l'arbre qui dialogue par ses racines avec la Terre nourricière. Se regarder et savoir écouter, à chaque instant, le langage de l'Ailleurs originel.

C'est alors que le Cosmos apparaît dans son essence profonde que l'on ne saurait compartimenter. Il se présente comme un être vivant, dont tous les organes sont engagés dans de mutuelles connexions, depuis la galaxie, qui fuit là-bas, jusqu'à cet enfant qui joue et cette libellule qui se mire dans les remous et les vaguelettes du vallon.

Si tuer cet enfant est un scandale, pourquoi tuer cet oiseau n'en serait-il pas un, s'ils sont, l'un et l'autre, autant l'un que l'autre, les éléments d'un même mécanisme engagés ensemble dans une identique migration ?

Comment prétendre que dans un tel mécanisme, tel rouage est plus important que tel autre ou que tous les autres, si la rupture de l'un d'entre eux, puis son absence, ébranle l'équilibre de l'ensemble ?

Est-ce donc si difficile à comprendre ou serait-ce que les enfants de ce Peuple n'ont pas été préparés à le comprendre ?

Dans ces conditions, que penser de ces valeureux tueurs qui fusillent pour se distraire, qui se terrent, immobiles, dans des caches pour faire du sport ?

Qu'ils soient malades, c'est certain. Qu'ils soient presque irresponsables, c'est probable. Cependant, l'impudence, l'agressivité de leur comportement, la suffisance imbécile qui émane de leurs propos et de leurs justifications — nous sommes les administrateurs, organisateurs, défenseurs, amoureux de la nature — l'indigence de cet ensemble configure un syndrome difficilement supportable.

Au fond, Klaanah, pour beaucoup d'hommes et de femmes, ces tueurs sont les actuels représentants — avec bien d'autres en divers domaines — de la Peste noire. Et, pour s'en garder, plutôt que de chercher à sublimer leurs crimes, il serait utile de leur attacher une clochette autour du cou et de les soigner.

Toute rencontre est une fête, t'ai-je écrit un jour dans une précédente lettre. La rencontre entre cet oiseau, qui vient de si loin, qui a surmonté tant d'épreuves, qui doit tracer sa route, se nourrir, au milieu des tempêtes, des vagues de froid, sa rencontre avec un homme devrait être, c'est sûr, une fête, pour l'homme et pour l'oiseau. Et c'en est une pour les Compagnons de la Reconquête.

Mais sous l'emprise d'un divorce consacré dès leur enfance, des hommes, quelques femmes font de cette fête une abomination.

Le plus souvent l'oiseau n'est que blessé. Il se cache et souffre des heures dans le vent et le froid avant de mourir. Je le demande : qu'avait-il fait de si terrible, dans une vie antérieure, pour être puni de façon aussi atroce ? Personne ne le sait. Alors ?

On répugne, à juste titre, à exécuter un assassin, des années après son crime. Mais comment peut-on oser tuer avec une telle désinvolture, une telle indifférence, un animal embarqué dans la difficile aventure de son existence, un animal qui n'est à personne, étant un composant du patrimoine planétaire ? Pour se distraire.

Toute violence qui s'exerce en un domaine et en un lieu s'étendra en nappe, comme une maladie contagieuse. La survie exige que ces gens soient considérés pour ce qu'ils sont, des malades, et soignés comme tels. Et ils seront pardonnés.

*
* *

Lettre n° 119

Les mélodies du silence

Le Temps du Silence reviendra-t-il un jour ?
Sans doute, car il n'est pas mort. Il est simplement oublié, enfoui sous l'amoncellement des outrances de l'âge de Fer.
Des gouttelettes de Silence tombent ici et là dans les ténèbres du mental, comme des gouttes d'eau qui sourdent dans les parois d'une grotte abandonnée. Ces gouttelettes dessinent et assemblent des stalagmites de Silence qui aspirent à être reconnues par ceux qui sauront s'asseoir et écouter.
Alors, que faire ? se demandait un homme quelque peu désemparé. Courir avec ceux qui courent, s'agitent et s'excitent ? Mais, dans ce vacarme, comment pourrait-on entendre la voix du Silence ? Ou s'asseoir sur le talus du chemin de la maturation et là, avec la rosée pour compagne, attendre que ce Peuple, arrivé aux confins de son désarroi, voyant pour toute issue l'abîme s'ouvrir devant lui, s'arrête, s'assied et se taise ?
Alors, de proche en proche, comme la neige qui fond et laisse apparaître l'herbe endormie, des touffes de Silence se redresseraient dans les allées d'un monde ressuscité.

*
* *

Lettre n° 120

Le dernier regard

Tout à l'heure, Klaanah, je suis allé là où le vieil homme médite habituellement. Je me suis assis à côté de lui. Il ne sembla pas s'apercevoir de ma présence. Nous gardâmes le silence. Une heure passa ainsi. Puis, se tournant vers moi :
« J'ai fait un long voyage, escaladant les parois du chagrin jusqu'à son sommet. Et je me suis retrouvé seul avec mon désarroi.

« La solitude est l'ultime définition de l'existence, quoi que l'on fasse.

« Mon ami, toi qui viens d'ailleurs, sais-tu ce qu'est le dernier regard ? Deux regards qui plongent l'un en l'autre, et qui ne sont qu'un seul regard, dans la communion qui les unit, mais qui, pourtant, sont les regards de deux êtres, seuls l'un et l'autre, chacun sur le chemin de son propre destin.

« J'ai reçu, ce matin, le dernier regard d'un petit animal, mon compagnon depuis des années. Un regard doux et grave, porteur de toutes les interrogations de celui qui va mourir. Un regard où s'entrelaçaient une tristesse légère et une tendresse venue de l'origine des âges.

« Un regard... Mais comment pourrait-on lire le tout d'un tel regard, lorsqu'il est le dernier regard ? Celui que l'on reçoit telle une offrande, comme un présent, avant que la lumière, incertaine et vacillante, qui brille encore au fond du regard, ne s'éteigne. Un peu avant que le rideau ne tombe sur ce qui a été une belle envolée sur les cimes de l'affection, sur ce qui fut un jour une rencontre unique entre deux êtres.

« Deux êtres qui ont ensuite marché ensemble, le temps fort d'un soupir, dans la trajectoire de l'éternité. Mais un soupir qui fut le plein d'une fête, une graine féerique qui voltige dans le vide de l'univers, à la rencontre de toutes les graines nées des derniers regards, et qui se déposent et s'enracinent et germent dans le creuset du cri de l'origine.

« Mon ami, c'est dans le dernier regard, avant qu'il ne se retourne vers d'autres rivages, que se mesure la grandiose et magnifique aventure qui se développe sur la Terre. »

Après quelques instants de silence, le vieil homme poursuivit :
« Je suis redescendu des sommets du chagrin et j'ai retrouvé les espaces de la tranquillité dont la présence est simplement révélée par les moires de sérénité qui parcourent lentement, en moi, leurs étendues.

« Et je m'interroge : n'est-ce pas une rencontre miraculeuse que celle de la vie et de cette planète que l'on appelle la Terre ?

« Rencontre exceptionnelle et incroyable. Parcelle de vie, fragile et pourtant inébranlable. Mais, plutôt que de s'émerveiller, ce

Peuple s'acharne à la détruire de proche en proche et de toutes les façons.

« " La vie, c'est effrayant… ", a dit Cézanne. « Et ce que ce Peuple fait de la vie, c'est effroyable.

« Les arbres ne meurent plus debout, superbes et solennels. On les abat. Les animaux ne se retirent plus dans le silence et la solitude pour mourir gravement, noblement. Ils sont traqués, exterminés.

« Les hommes de ce Peuple ne meurent plus dans le recueillement, paisiblement, mais empoisonnés de mille manières, dans les souffrances d'un corps dégénéré, maltraité tout au long de son existence.

« Tant de cœurs qui cessent de battre d'une façon dramatique, en pleine trajectoire de l'existence, souvent en plein vol, par le meurtre délibéré, par le scientisme prétentieux et imbécile, par la technique exacerbée, hystérique et incontrôlée, par un mental brutal et tordu.

« Avec chacun de ces cœurs qui s'arrêtent, le désert gagne peu à peu, envahit la Terre et l'étouffera bientôt.

« Et pourtant, une aura de tendresse enveloppe les choses. Source inépuisable où chacun peut se rendre et se désaltérer.

« Quel privilège a été le mien, ce matin, de pouvoir contempler autant de tendresse dans le dernier regard de mon petit compagnon. Cette tendresse s'est cristallisée en moi et ne m'abandonnera plus.

« Pourquoi cette source est-elle abandonnée par la majorité de ce Peuple, qui cultive la brutalité, se moque de la sensibilité et se vautre dans l'agressivité ?

« Le cœur de la Terre, sevré de tendresse, se craquèle, et où cela mène-t-il ?

« Que ce Peuple prenne garde, le cœur de la Terre s'arrêtera, lui aussi, un jour. Que cherche donc ce Peuple ? Voir la détresse inscrite dans le dernier regard de la Terre, déconcertée, désorientée d'avoir été autant torturée par ceux qu'elle aimait, pourtant ? »

*
* *

Lettre n° 121

En marche vers les suprêmes épousailles

La route est longue qui conduit au septième jour.

La graine avait germé dans une cour obscure, sale, malodorante. Pâle, fluette, la tige grandissait lentement, regardant autour d'elle et se demandant ce qu'elle faisait là.

Des gens vulgaires, grossiers, criaient, riaient, s'insultaient, s'aimaient, passaient à côté d'elle. Personne ne s'intéressait à elle.

Le soleil ne pénétrait jamais dans cette cour. La vie ne s'y aventurait qu'avec circonspection. Sur le sol, mort depuis longtemps, de rares touffes d'herbes tentaient de survivre.

L'arbre poussait néanmoins. Ses feuilles s'efforçaient de respirer. Ses racines lui apportaient une nourriture de famine.

Alors, un jour, il plongea ses racines plus profondément et il trouva une nourriture d'une autre nature dans un autre sol. Il grandit rapidement pour s'extraire de ce monde maudit. Sa cime dépassa les masures qui l'environnaient. Cessant de n'avoir pour horizon que des taudis, son regard vit le soleil se lever sur un monde éblouissant.

La route est longue qui reconduit de la Citadelle au septième jour. Elle se déroule sur la ligne de crête entre les espaces intérieurs et les espaces cosmiques. Le divorce ayant été consommé entre ce Peuple et la conscience cosmique, il est devenu nécessaire pour atteindre le septième jour de traverser les six jours de la Création. Chacun d'entre eux représente un retour aux Temps de l'Origine. Il enfante de nouvelles compréhensions, renoue les liens entre l'homme et les êtres créés ces jours-là.

Cette marche est une remontée des abîmes d'un profond sommeil. La graine avait été plantée là où il convenait, mais le Peuple l'avait déterrée puis enfouie dans un sol misérable.

La vie s'était étiolée entre les murailles de la Citadelle, et elle poussait, chétive, fragile, avec pour seules sinistres perspectives les taudis du mental.

Au cœur du sommeil, l'oubli s'était installé. Le Peuple avait laissé s'égarer les attaches qui le reliaient à sa mission dans l'existence. C'est pourquoi la marche vers le septième jour coïncide maintenant avec la traversée des brumes vers les plages lumineuses des nouvelles compréhensions.

Alors qu'il est allé partout sur la Terre, ce Peuple, dans sa majorité, ne connaît rien de cette route. Elle est envahie par des arbustes et par des herbes. Pas un arpent de sol qui n'ait été visité, bouleversé, mais la route, elle, est abandonnée.

Elle était abandonnée jusqu'à ce que les Compagnons de la Reconquête aient amorcé cette marche, se soient haussés au-dessus de l'enceinte de la Citadelle et que les horizons du Renouveau leur soient apparus.

Ils savent que se diriger vers et vivre dans le Jour n'est pas donné une fois pour toutes. C'est un dialogue permanent que l'on doit poursuivre à chaque instant entre la pensée à l'écoute du monde et celle qui jaillit des profondeurs de l'être.

Ils ont compris que l'intelligence n'est pas le savoir, l'astuce, la rouerie, l'invention. L'intelligence se dresse sur la clé de voûte de l'ogive formée par le demi-arc de la pensée, qui assure l'adaptation au monde, et par le demi-arc de la pensée qui relie l'être à sa racine transcendentale.

C'est bien là, sur cette clé de voûte, que s'opèrent les transmutations alchimiques. Elles déposent au fond du creuset d'une humanité réveillée, la transparence du mental, la limpidité de la pensée, la rectitude du comportement.

Cette rectitude ne laisse place à aucun romantisme, à aucun sentimentalisme, frères de l'espérance. Ils replongent dans le sommeil, réensevelissent dans l'oubli et laissent les forces de destruction se manifester.

Chacun doit tracer, rondement et quoi qu'il en coûte, ses propres pas sur le chemin du Réveil. Personne et rien ne les tracera pour lui.

Atteindre la clé de voûte de l'intelligence est la suprême ascension, car c'est là qu'est révélé l'aspect hiérophanique de l'existence, ce par quoi le sacré est éprouvé, de par la communion entre tous les participants du concerto de la vie sur la Terre.

Chacun est un concertiste qui improvise les accords de sa propre existence. Chacun, dans le cadre de son existence, fait entendre des accords privilégiés qui s'entremêlent avec les accords du concerto joué par tous.

En cette clé de voûte des mystères et de la majesté des choses de ce monde, s'inscrit et s'assure la survie de la Terre et des êtres qui la peuplent. Partout ailleurs, il n'y a rien à attendre, sinon le chaos.

*
*   *

Lettre n° 122

Combien sont-ils ceux que je n'ai pu consoler ?

Demain, je rentre à la Maison.

Ceci est ma dernière lettre. Je vais quitter le Pays de l'Envers. Je vais quitter la Terre.

Je suis partagé entre le soulagement et la tristesse.

C'est vrai que la Terre m'est apparue comme un grand hôpital surpeuplé de malades. De malades incurables, car satisfaits de l'être, à moins qu'ils n'aient aucune notion de leur maladie sur laquelle ils ont plaqué les masques de la normalité.

Ces gens, je les plains, mais je ne les regretterai pas. Leur présence m'a été pénible, pour ne pas dire insupportable. Ils sont insignifiants, n'ont d'importance que dans la mesure où on leur en confère une pour des motifs politiques, religieux ou mercantiles.

Mais la masse opaque de leur médiocrité n'a pu s'interposer entre l'ineffable grandeur de la vie et moi. Tous ces jours qui ont passé et chaque jour davantage j'ai aimé et j'ai mieux compris cette Terre.

Comme elle est belle. Comme elle est attachante et attendrissante !

La vie, ici, est une sublime et terrible aventure, un combat incessant, un élan de tendresse dans une aura de vigilance perma-

*Des sentinelles disposées aux grands carrefours magnétiques, debout,
montent la garde à l'écoute de la sérénité.*

nente. Dans cet équilibre précaire, l'héroïque mission de l'existence s'accomplit coûte que coûte. Chaque point lumineux, tracé par cette fulgurance dans la nuit de l'inconnu, est une victoire car elle est une réponse conforme aux lois venues du fond de l'univers.

J'ai aimé cette accordance entre le minéral, le végétal, les animaux, chacun respirant à sa façon, participant à sa manière au duo de la vie et de la mort.

Je me suis laissé emporter dans la spirale de cette belle envolée des milles choses et êtres, des choses qui sont des êtres, tous fils et filles de la Terre, tous cousins des constellations.

Vois-tu, Klaanah, j'ai été un étranger ici mais je savais que, moi aussi, je glissais sur la même houle, énorme et pathétique, que ce moineau, que cette fleur, que cette roche, et j'aurais aimé dire que cette femme, que cet homme.

J'ai pu le dire là, partout, où j'ai marché aux côtés de ces hommes, de ces femmes qui sont mes frères, mes sœurs en transcendance.

Je vais quitter la Terre. Je m'en réjouis, c'est vrai. Mais, à cause de mes Compagnons, précisément, j'ai un peu l'impression d'un abandon, d'une désertion.

Cependant, il leur incombe — ils le savent — à eux seuls d'installer ce Peuple sur l'orbite du septième jour. La Terre le leur crie ; les choses, les êtres le leur demandent. C'est aux hommes à sortir de la Citadelle pour retrouver la route.

Rien ne s'opposera mais rien ne pourra le réaliser pour eux. Tout est en place pour que tout devienne comme cela doit être.

Klaanah, je suis convaincu que cela sera car, malgré le déchaînement sauvage de toutes les pulsions obscures, au cours des pires convulsions de la folie de certains, les nappes de lumière plaquées sur la Terre ne se sont jamais éteintes.

Cette Terre est malheureuse mais elle est courageuse.

De nos lointains soleils, nous devons lui faire parvenir la force de notre tendresse. Ceux, celles qui, ici, tentent de faire vibrer la vie sur la Terre à l'unisson de la vie dans l'univers, ne sont pas simplement des fils et des filles de la Terre. Ils sont la preuve de la présence sur cette planète des grands champs magnétiques de cet amour qui gravite dans le cosmos et qui passe ici, sur la Terre, partout, toujours, malgré tout.

Table des matières

La composition et l'impression
de cet ouvrage ont été réalisées
par l'Imprimerie CLERC
18200 SAINT-AMAND
pour le compte des ÉDITIONS DANGLES
18, rue Lavoisier - 45800 ST-JEAN-DE-BRAYE

Dépôt légal Éditeur n° 1164 - Imprimeur n° 3267

Achevé d'imprimer en Février 1986

Pierre PELLERIN :

SAUVONS LA NATURE, source de notre vie.
Nombreux exemples d'actions individuelles et collectives pour sauver le monde animal, végétal et minéral... la vie et notre vie !

Format 15 × 21 ; 512 pages ; abondamment illustré (320 photos et dessins).

La vie (et la survie) de l'espèce humaine est intimement dépendante du bon équilibre de la Nature qui nous environne et nous fait subsister. Or, l'homme moderne malmène tellement cette malheureuse nature que des dizaines de milliers d'espèces végétales et animales sont aujourd'hui en voie de disparition. **L'équilibre écologique de notre planète est rompu,** parfois de manière irréversible, avec toutes les conséquences dramatiques que cela peut entraîner à terme.

Heureusement, des individus de plus en plus nombreux, isolés ou en groupes, ont pris conscience du danger et agissent concrètement. Aux plaintes passives ils préfèrent les engagements actifs, et ce livre vous invite à les rejoindre et à participer.

Après une étude des enchaînements conduisant aux déchéances auxquelles nous sommes confrontés, il dresse le bilan des prises de conscience mondiales, européennes et nationales.

Ensuite, à l'aide d'une foule d'exemples d'actions à entreprendre et de suggestions pratiques, il détaille tout ce que nous pouvons faire, tant auprès des Pouvoirs publics qu'à l'échelon individuel ou en équipes, par exemple :

— Comment favoriser le maintien ou le retour de **valeurs animales** éprouvées : papillons, rapaces, castors, crapauds, saumons, carabes, bourdons, coccinelles, hérissons, chauves-souris, cigognes...

— Comment s'engager pour la préservation de **valeurs végétales** en difficulté. Que faire, où et comment, afin que renaissent haies, ormes, oyats, posidonies... et que se répandent davantage fleurs et baies sauvages.

— Pourquoi et comment faire cesser le saccage du **monde minéral** qui sous-tend la vie à la surface de notre planète.

— Pourquoi et comment permettre la renaissance d'**ensembles vivants** tels qu'étangs là où ils manquent.

— Comment se montrer toujours **digne de la Nature** en ayant, à son contact, un comportement responsable.

Soixante chapitres vous feront pénétrer au cœur de cette grande œuvre de sauvegarde, indispensable. Ce livre est à la fois un cri d'alarme et une ferme incitation à une prise de conscience de nos responsabilités ; l'Homme et la Nature doivent vivre en parfaite symbiose. Après l'avoir saccagée, l'homme se doit de sauver la Nature, de sauver la vie pour sauver SA vie !

EXTRAIT DE LA TABLE DES MATIÈRES :

Alain Saury

le manuel de
la vie sauvage
ou revivre par la nature

collection « écologie et survie »

comprendre et prévoir le temps / marcher et s'orienter / se chauffer / boire et trouver l'eau / cueillir, replanter / apprivoiser ou chasser et pêcher / cuisiner, conserver / se loger / se vêtir / fabriquer / soigner et sauver / se nourrir subtilement.

éditions dangles

Dans la même collection :

Alain Saury

Le manuel de la vie sauvage

ou revivre par la nature

Grand format 21 × 29,7 ; 448 pages ; relié cartonné ; + de 1 200 illustrations.

Puisse cette modeste bible de survie nous permettre de durer dans la réalité de la vraie faim et non plus dans le mensonge des génocides appétits, ou bien encore de subvenir seulement à nos nécessités sans aucun besoin.
Puisse notre intellect diabolique redevenir divin en s'employant, dès maintenant, à l'unique recherche de nos instincts perdus et de cette complicité universelle qui unit le moindre brin d'herbe à la plus lointaine étoile.

(Alain Saury)

Ce monumental ouvrage, **empreint d'un profond humanisme** et d'un amour fou pour tout ce qui vit, peut être considéré comme une **VÉRITABLE BIBLE DE SURVIE.** Il nous permet, dès aujourd'hui, de nous initier progressivement à LA VRAIE VIE, selon les lois de la Nature (et de notre nature), dans le respect de toute la création, dans l'économie et donc dans la générosité.
Un ouvrage à deux niveaux : trucs, recettes, idées, conseils, techniques pour tous les aspects d'une vie dans la nature ; poésie, humanisme, amour, dignité de l'homme que ce dernier devrait s'efforcer de retrouver. Dans notre pauvre monde en perdition, si l'apocalypse advenait — à juste titre — avec sa cohorte de famines, épidémies, guerres, cataclysmes... ce manuel de la vie sauvage pourrait certainement nous aider à sauver ce qui pourra l'être encore et, dès maintenant, il peut nous permettre de prévenir ces catastrophes et *nous acheminer vers l'harmonie* — salut de nos enfants et de tout ce qui vit — dans la complicité et le don de soi... dans l'Amour.

« Le XXIᵉ siècle sera religieux où il ne sera pas. » *(André Malraux)*

Dans la même collection :

Georges PLAISANCE

(Ingénieur des Eaux et Forêts ; docteur-ingénieur en écologie) :

FORÊT ET SANTÉ.
Guide pratique de sylvothérapie.
Découvrez les effets bienfaisants de la forêt sur le corps et l'esprit.

Format 15 × 21 ; 512 pages ; illustré.

Peu de gens disent ne pas aimer la forêt et, d'instinct, la plupart pensent qu'elle est favorable à la santé de l'homme. En effet, puisque le sol agit sur le climat, la forêt agit sur toute vie.

Georges Plaisance, auteur de nombreux livres sur l'histoire et l'écologie forestières, la sylviculture, la protection de la nature, ingénieur des Eaux et Forêts, docteur-ingénieur en écologie est tout particulièrement qualifié pour nous livrer ici le **résultat de plus de 30 années de recherches sur le terrain.** Il fait le point de nos connaissances sur les effets positifs (ou négatifs) entraînés en milieu forestier par la réduction des vents, de la lumière, l'action des divers peuplements sur la température, l'humidité, l'apport d'oxygène des végétaux, l'état électrique et ionique de l'air forestier (ionisation négative), le filtrage antipollution, l'effet des arômes, la purification biologique et physique... Les chercheurs, scientifiques, enseignants et simples amoureux de la nature y trouveront réunies toutes les preuves de l'**immense vertu hygiénique de la forêt.**

Une large part est faite aux effets physico-psychiques (couleurs, beauté des formes, ombres et lumières, sons...) sur le mental humain. De plus, il recense aussi les médicaments issus de la forêt (phytothérapie sylvestre).

Après ces analyses, l'auteur esquisse les synthèses et indique les **principes d'une cure sylvatique** ; ce serait une erreur de croire que toutes les forêts sont bonnes, en tout temps, pour toutes les affections ; les contre-indications (peu nombreuses) sont précisées. Quelle forêt et quelle saison choisir suivant son tempérament ? Comment tirer le profit maximum de la cure ?

Ensuite, ce livre indique comment aménager une forêt déjà existante en « forêt de santé » et propose avec force les détails, la création artificielle de « parc de cure sylvothérapique ».

Sur un sujet nouveau, objet de légitimes curiosités, cet important ouvrage apporte à la fois des données scientifiques et pratiques ; il réjouira les amateurs de forêt et ceux qui attendent du climat forestier et de ses microclimats l'**amélioration de leur santé ou la guérison.**

RBK